OBRAS DA AUTORA PUBLICADAS PELA GALERA RECORD

Série Diários do Vampiro
O despertar
O confronto
A fúria
Reunião Sombria
O Retorno — Anoitecer
O Retorno — Almas sombrias
O Retorno — Meia-noite
Caçadores — Espectro
Caçadores — Canção da lua
Caçadores — Destino

Série Diários de Stefan
Origens
Sede de sangue
Desejo
Estripador
Asilo

Série Os Originais
Ascensão
A perda

Série Círculo Secreto
A iniciação
A prisioneira
O poder
A ruptura
A caçada
A tentação

Série Mundo das sombras
Vampiro secreto
Filhas da escuridão
Submissão mortal

L.J. SMITH

DIÁRIOS DO VAMPIRO
A FÚRIA

5ª edição

Tradução
Ryta Vinagre

2025

DIAGRAMAÇÃO	IMAGEM DE CAPA
Abreu's System	Jose AS Reyes / Shutterstock

CIP-BRASIL. CATALOGAÇÃO NA PUBLICAÇÃO
SINDICATO NACIONAL DOS EDITORES DE LIVROS, RJ

S647d   Smith, L. J.
         Diários do vampiro: a fúria / L. J. Smith ; tradução Ryta Vinagre.
- 5. ed. - Rio de Janeiro : Galera Record, 2025.
           (Diários do vampiro ; 3)

         Tradução de: The fury
         ISBN 978-65-5981-332-2

         1. Ficção americana. I. Vinagre, Ryta. II. Título. III. Série.

23-84591   CDD: 813
                      CDU: 82-3(73)

Gabriela Faray Ferreira Lopes - Bibliotecária - CRB-7/6643

Copyright © 1991 by Daniel Weiss Associates, Inc. and Lisa Smith

Publicado mediante acordo com a Rights People, London.

Todos os direitos reservados.
Proibida a reprodução, no todo ou
em parte, através de quaisquer meios.
Os direitos morais da autora foram assegurados.

Texto revisado pelo Acordo Ortográfico da Língua Portuguesa de 1990.

Direitos exclusivos de publicação em língua portuguesa somente para o Brasil
adquiridos pela
EDITORA GALERA RECORD LTDA.
Rua Argentina 120 – Rio de Janeiro, RJ – 20921-380 – Tel.: 2585-2000
que se reserva a propriedade literária desta tradução

Impresso no Brasil

ISBN 978-65-5981-332-2

Seja um leitor preferencial Record.
Cadastre-se e receba informações sobre nossos
lançamentos e nossas promoções.

Atendimento e venda direta ao leitor:
sac@record.com.br

A minha tia Margie, e em memória de minha tia Agnes e a tia Eleanore, pelo estímulo à criatividade

1

Elena entrou na clareira.

Sob os pés, farrapos de folhas de outono congelavam na lama. O anoitecer havia caído e o bosque ficava mais frio, embora a tempestade agora esmorecesse. Elena não sentia o frio.

Tampouco ligava para a escuridão que a cercava. Com as pupilas completamente dilatadas, Elena captava quaisquer mínimas partículas de luz que teriam sido invisíveis a um humano. Ela conseguia enxergar com muita clareza duas figuras lutando sob o grande carvalho.

Uma tinha cabelos escuros e grossos que o vento agitava num mar tumultuado de cachos. Era um pouco mais alta do que a outra, e Elena de algum modo sabia que tinha olhos verdes, embora não pudesse enxergar o rosto.

A outra figura também tinha cabelos pretos, mas eram finos e lisos, quase como o pelo de um animal. Os lábios se repuxavam nos dentes em fúria, com todo o charme indolente de seu corpo agachado numa postura de pantera. Os olhos eram escuros como a noite.

Elena os observou por vários minutos sem se mover. Ela se esquecera por que tinha ido ali, por que havia sido atraída pelos ecos dessa batalha, que ecoavam em sua mente. Esta proximidade, o clamor da raiva, do ódio e da dor dos dois era quase ensurdecedor, como gritos silenciosos vindo dos lutadores. Eles travavam um combate mortal.

Qual deles vencerá?, pensou ela. Os dois estavam feridos e sangravam, e o mais alto tinha o braço esquerdo pendendo num ângulo pouco natural. Ainda assim, ele acabara de golpear o outro contra o tronco nodoso de um carvalho. A fúria dele era tanta que Elena podia senti-la e saboreá-la, assim como também ouvi-la, e sabia que isso conferia a ela uma força inacreditável.

E então Elena se lembrou do motivo para ter vindo. Como poderia ter se esquecido? *Ele* estava ferido. A mente *dele* a convocara até aqui, espancara-a com ondas de raiva e dor. Ela veio ajudá-lo, porque ela pertencia a ele.

As duas figuras agora estavam no chão gelado, lutando como lobos, rosnando. Rápida e silenciosamente Elena foi até eles. Aquele com o cabelo ondulado e olhos verdes — *Stefan*, uma voz em sua mente sussurrou — estava por cima, os dedos arranhando o pescoço do outro. A raiva tomou conta de Elena, raiva e um instinto protetor. Ela estendeu o braço entre os dois para impedir aquela mão que sufocava, para erguer seus dedos.

Não ocorreu que ela devia ser forte o bastante para fazer isso. Ela se sentia muito forte, e isso bastava. Ela lançou o peso do corpo para o lado, arrancando seu cativo do adversário que o feria. Providencialmente, jogou-se com força sobre o braço ferido dele, derrubando-o de cara para o chão tomado de folhas. Depois começou a estrangulá-lo por trás.

O ataque dela o pegou de surpresa, mas ele não estava nem um pouco derrotado. Ele revidou, a mão boa apalpando o pescoço de Elena. Até que o polegar dele cravou em sua via respiratória.

Elena logo se percebeu investindo contra a mão dele, procurando-a com os dentes. A mente dela não conseguia entender o que se passava, mas seu corpo sabia o que fazer. Seus dentes eram uma arma e eles se cravaram na carne dele, arrancando sangue.

Mas ele era bem mais forte do que ela. Com uma virada de ombros, ele se soltou e se livrou das mãos dela, virando-a para baixo. E depois ele estava por cima dela, com uma expressão contorcida de fúria bestial. Ela sibilou para ele e partiu para atacar seus olhos com as unhas, mas ele afastou a mão dela para longe.

Ele ia matá-la. Mesmo ferido, era muito mais forte. Os lábios dele se repuxaram e mostraram os dentes já manchados de escarlate. Como uma serpente, ele estava pronto para dar o bote.

E então parou, pairando acima dela, a expressão em seu rosto transformando-se.

Elena viu os olhos verdes dele se arregalarem. As pupilas, que tinham se contraído a níveis cruéis, dilataram-se. Ele a encarava como se verdadeiramente a visse pela primeira vez.

Por que ele olhava para ela desse jeito? Por que ele simplesmente não acabava logo com tudo? Mas agora a mão de ferro sobre o ombro de Elena a soltava. O esgar animal desaparecera, substituído por um olhar de pasmo e admiração. Ele se sentou, ajudou-a a se sentar, enquanto olhava seu rosto.

— Elena — sussurrou ele, a voz entrecortada. — Elena, é você.

É isso que eu sou?, pensou ela. Elena?

Não importava. Ela lançou um olhar para o antigo carvalho. *Ele* ainda estava ali, parado entre as raízes reviradas, arfando, apoiando-se na árvore com a mão. *Ele* olhava para ela com seus olhos escuros e profundos e as sobrancelhas unidas numa carranca.

Não se preocupe, pensou ela. Posso cuidar deste aqui. Ele é idiota. Depois ela se lançou para o de olhos verdes novamente.

— Elena! — gritou Stefan enquanto ela o chutava para trás. A mão dele que ainda estava boa a segurou pelo ombro e ergueu-a. — Elena, sou eu, Stefan! Elena, olhe para mim!

Ela olhava. Mas só o que conseguia enxergar era o trecho exposto de pele que havia no pescoço dele. Ela sibilou de novo, o lábio superior recuou, revelando seus dentes.

Ele ficou paralisado.

Elena sentiu o choque reverberar pelo corpo de Stefan, viu o olhar dele se espatifar. A expressão facial de Stefan ficou completamente lívida, como se alguém o tivesse golpeado. Ele sacudiu ligeiramente a cabeça no chão lamacento.

— Não — sussurrou ele. — Ah, não...

Ele parecia estar falando consigo mesmo, como se nem confiasse que ela o ouviria. Stefan estendeu a mão até o rosto de Elena e ela o interceptou com um tapa.

— Oh, Elena... — ele sussurrou.

Os últimos vestígios de fúria, de toda aquela sede animal por sangue, desapareceram do rosto dele. Stefan exibia um olhar confuso, magoado e triste.

E vulnerável. Elena tirou proveito do momento para atacar o pescoço exposto de Stefan. O braço dele subiu para impedi-la, empurrá-la, mas então pendeu novamente.

Ele a encarou por um instante, a dor tomando conta do olhar de Stefan até que ele simplesmente desistiu. Parou inteiramente de lutar.

Ela pôde sentir isso acontecer, sentiu a resistência deixar o corpo de Stefan. Ele permaneceu deitado no chão gelado com pedaços de folhas de carvalho no cabelo, olhando para além dela, fitava o céu escuro e nublado.

Acabe logo com isso, dizia a voz cansada que ecoava na mente de Stefan.

Elena hesitou por um instante. Havia algo naquele olhar que sugeria lembranças dentro dela. De pé à luz da lua, sentado num quarto de sótão... Mas as lembranças eram vagas demais. Ela não conseguia apreendê-las e o esforço a deixava tonta e nauseada.

E este aqui tinha de morrer, o dos olhos verdes, chamado Stefan. Porque *ele* foi ferido, o outro, aquele para quem Elena nasceu. Ninguém podia machucar *aquele homem* e continuar vivo.

Ela cerrou os dentes no pescoço dele e mordeu fundo.

Logo percebeu que não estava fazendo do jeito certo. Não atingira nenhuma artéria ou veia. Ela mordeu então a garganta dele, com raiva da própria inexperiência. Era bom morder alguma coisa, mas não saía sangue suficiente. Frustrada, ergueu a cabeça e o mordeu novamente, sentindo o corpo dele se sacudir de dor.

Muito melhor. Desta vez ela encontrou uma veia, mas não a rasgou fundo o bastante. Um pequeno arranhão como aquele não era o bastante. O que ela precisava era rasgá-la, fazer jorrar o sangue quente e suculento.

A vítima tremia enquanto Elena a atacava, os dentes revirando e roendo. Ela sentiu a carne ceder quando mãos a puxaram, erguendo-a por trás.

Elena rosnou sem soltar o pescoço. Mas aquelas mãos eram insistentes. Um braço passou por sua cintura, dedos se entrelaçaram em seu cabelo. Ela lutou, agarrando a presa com dentes e unhas.

Solte-o! Deixe-o!

A voz era ríspida e exigente, como uma lufada de vento frio. Ao reconhecê-la, Elena parou de lutar com as mãos que a puxavam. Enquanto era colocada no chão, Elena finalmente reparou *nele*, e um nome veio a sua mente. Damon. O nome *dele* era Damon. Ela o encarou enfurecida, ressentida por ter sido arrancada de sua presa, mas obediente.

Stefan estava sentado, o pescoço vermelho de sangue. O líquido escorrendo pela camisa. Elena lambeu os lábios, sentindo uma palpitação faminta que parecia vir de cada fibra de seu ser. Ela ficou tonta de novo.

— Eu pensei — disse Damon em voz alta — que você tivesse dito que ela estava morta.

Ele olhava para Stefan, que estava ainda mais pálido do que antes, como se isso fosse possível. Aquela cara branca encheu-se de uma desesperança infinita.

— Olhe para ela. — Foi tudo o que ele disse.

Uma mão puxou o queixo de Elena, levantando seu rosto. Ela encontrou os olhos escuros e estreitos de Damon. Depois dedos longos e finos tocaram os lábios dela, examinando o que havia entre eles. Por instinto, Elena tentou mordê-lo, mas nada muito forte. O dedo de Damon encontrou a curva acentuada de um canino e Elena agora o travou, com uma mordiscada, como de um gatinho.

O rosto de Damon não demonstrou qualquer expressão, os olhos petrificados.

— Sabe onde você está? — disse ele.

Elena olhou em volta. Árvores.

— No bosque — disse ela com astúcia, voltando a olhar para ele.

— E quem é aquele ali?

Ela seguiu o dedo que apontava.

14 ✦ *Diários do Vampiro - A Fúria*

— Stefan — disse ela com indiferença. — Seu irmão.

— E quem sou eu? Sabe quem sou eu?

Ela sorriu para ele, mostrando os dentes pontiagudos.

— É claro que sei. Seu nome é Damon e eu amo você.

2

A voz de Stefan era baixa e selvagem.

— Era isso o que você queria, não era, Damon? E agora conseguiu. Teve de fazê-la como nós, como você. Não bastava apenas matá-la.

Damon sequer olhou para Stefan. Fitava Elena atentamente através daqueles olhos ocultos, ainda ajoelhado ali, segurando seu queixo.

— Esta é a terceira vez que você diz isso e estou ficando meio cansado dessa história — comentou ele delicadamente. Desgrenhado, ainda meio sem fôlego, porém controlado e composto. — Elena, eu matei você?

— É claro que não — disse Elena, entrelaçando os dedos nos da mão livre de Damon. Ela já estava ficando impaciente. Do que estavam falando, afinal? Ninguém morreu.

— Nunca pensei que você fosse mentiroso — disse Stefan a Damon, a amargura em sua voz inalterada. — Podia ser qualquer coisa, menos isso. Nunca vi você tentar se acobertar.

— Mais um minuto — disse Damon — e vou perder a calma.

O que mais você pode fazer a mim?, respondeu Stefan. *Matar-me seria um ato de misericórdia.*

— Esgotei minha misericórdia por você há um século — disse Damon em voz alta. Ele por fim soltou o queixo de Elena. — Do que se lembra do dia de hoje? — perguntou a ela.

Elena respondeu entediadamente, como uma criança recitando uma lição odiada.

— Hoje foi a festa do Dia dos Fundadores. — Ela olhou para Damon, flexionando os dedos nos dele. Era o máximo que conseguia lembrar, mas não bastava. Irritada, ela tentava resgatar mais alguma memória. — Havia alguém no refeitório... Caroline. — Ela deu o nome a ele, satisfeita. — Ela ia ler meu diário diante de todos e isso era muito ruim porque... — Elena vasculhou a memória mas a informação sumiu. — Não me lembro por quê. Mas nós a enganamos. — Ela sorriu calorosamente para ele, como quem conspira.

— Ah, "nós" conseguimos, não foi?

— Sim. Você tomou o diário dela. Fez isso por mim. — Os dedos de Elena subiram pela jaqueta de Damon, procurando pela capa quadrada do diário. — Porque você me ama — disse ela, encontrando-o e arranhando-o de leve. — Você me ama, não é?

Houve um som fraco no centro da clareira. Elena olhou e viu que Stefan tinha virado o rosto.

— Elena. O que aconteceu depois? — A voz de Damon a chamava de volta.

— Depois? Depois a tia Judith começou a discutir comigo. — Elena refletiu por um momento e por fim deu de ombros. — Sobre... alguma coisa. Eu fiquei com raiva. Ela não é a minha mãe. Não pode me dizer o que fazer.

A voz de Damon era seca.

— Não acho que isso agora seja um problema. E depois?

Elena deu um suspiro pesado.

— Depois peguei o carro do Matt. Matt. — Ela disse o nome reflexivamente, passando a língua no canino. Em sua mente, surgiu um rosto bonito, cabelo louro, ombros fortes. — Matt.

— E aonde foi com o carro de Matt?

— Para a ponte Wickery — disse Stefan, virando-se para eles. O olhar dele estava desolado.

— Não, fui para o pensionato — corrigiu Elena, irritada. — Para esperar... Humm. Esqueci. De qualquer forma, eu esperei ali. Depois... Depois começou a tempestade. Vento, chuva, tudo isso. Eu não gostei. Entrei no carro. Mas alguma coisa veio atrás de mim.

— *Alguém* foi atrás de você — disse Stefan, olhando para Damon.

— Uma *coisa* — insistiu Elena. Ela já estava farta das interrupções dele. — Vamos para algum lugar, só nós dois — disse ela a Damon, ajoelhando-se para que seu rosto ficasse perto do dele.

— Num minuto — disse ele. — Que tipo de coisa foi atrás de você?

Ela recuou, exasperada.

— Não sei que tipo de coisa! Não era nada que eu já tenha visto. Não como você e Stefan. Era... — Imagens ondulavam por sua mente. Névoa fluindo pelo chão. O silvo do vento. Uma forma, branca, enorme, parecendo feita da própria névoa. Aproximando-se dela como uma nuvem impelida pelo vento.

— Talvez fosse só parte da tempestade — disse ela. — Mas achei que queria me machucar Então eu fugi. — Mexendo no zíper da jaqueta de couro de Damon, ela sorriu misteriosamente e o fitou com os olhos baixos.

Pela primeira vez, a expressão de Damon transparecia emoção. Os lábios se torciam numa careta.

— Você fugiu.

— Sim. Lembro que... alguém... me falou da água corrente. As coisas más não podem atravessá-la. Então fui de carro para o córrego Drowning, em direção à ponte. E depois... — ela hesitou, franzindo o cenho, tentando encontrar uma lembrança sólida na nova confusão. Água. Ela se lembrava da água. E alguém gritando. Mas não lembrava de mais nada.

— E depois atravessei — concluiu Elena, radiante. — Devo ter atravessado, porque estou aqui. É só isso. Agora podemos ir?

Damon não respondeu.

— O carro ainda está no rio — disse Stefan. Ele e Damon se olhavam como dois adultos tendo uma discussão diante de uma criança, as hostilidades suspensas por ora. Elena sentiu uma onda de irritação. — Bonnie, Meredith e eu encontramos o veículo. Mergulhei na água e a tirei de lá, mas nessa hora...

Nessa hora o quê? Elena fechou a cara.

Os lábios de Damon estavam curvados de escárnio.

— E você desistiu dela? De todas as pessoas, você devia ter desconfiado do que podia acontecer. Ou a ideia lhe era tão repugnante que nem pôde pensar no assunto? Preferia que ela estivesse realmente morta?

— Ela não tinha pulsação, nem respiração! — Stefan se inflamou. — Elena não havia recebido sangue suficiente para transformá-la! — Seus olhos endureceram. — Não *de mim*.

Elena abriu a boca novamente, mas Damon colocou dois dedos ali para mantê-la calada. Ele falou suavemente:

— E o problema agora é este... Ou não consegue ver isso também? Você me disse para olhar para ela; olhe você mesmo. Ela está em choque, irracional. Ah, sim, até eu admito isso. — Ele parou para dar um sorriso ofuscante antes de continuar. — É mais do que a confusão normal depois da transformação. Ela vai precisar de sangue, de sangue humano, ou seu corpo não terá forças para concluir a mudança. Ela vai morrer.

Como assim, irracional?, pensou Elena, indignada.

— Estou ótima — disse ela por trás dos dedos de Damon. — Só estou cansada. Eu estava indo dormir quando ouvi vocês dois brigando e vim até aqui só para ajudar. E depois você nem me deixou matá-lo — concluiu ela, enojada.

— Sim, por que não deixou? — disse Stefan. Ele encarava Damon como se pudesse cavar buracos no irmão com os olhos. Qualquer vestígio de cooperação de sua parte havia sumido. — Teria sido a coisa mais fácil de se fazer.

Damon sustentou o olhar de Stefan, subitamente furioso, com sua animosidade fluindo e se unindo à de Stefan. A respiração acelerada e superficial.

— Talvez eu não goste das coisas fáceis — ele sibilou. Depois pareceu recuperar o controle mais uma vez. Seus lábios se curvaram de desdém e ele acrescentou: — Veja desta maneira, meu querido irmão: se alguém tiver a satisfação de matar você, serei eu. Ninguém mais. Pretendo cuidar da tarefa pessoalmente. E nisso eu sou muito bom; posso lhe garantir.

— Já nos demonstrou isso — disse Stefan em voz baixa, como se cada palavra lhe desse náuseas.

— Mas esta aqui — disse Damon, virando-se para Elena com os olhos cintilantes —, eu *não* matei. Por que mataria? Eu podia tê-la transformado na hora que quisesse.

— Talvez porque ela tivesse acabado de ficar noiva de outro.

Damon ergueu a mão de Elena, ainda entrelaçada na dele. No terceiro dedo brilhou um anel de ouro, com uma pedra azul-escura engastada. Elena franziu a testa para ele, lembrando-se vagamente de já tê-lo visto. Depois deu de ombros e, cansada, encostou-se em Damon.

— Bom, agora — disse Damon, olhando de cima para ela —, este não parece ser um grande problema, não é? Acho que ela pode ter ficado feliz em esquecer você. — Ele olhou para Stefan com um sorriso perverso. — Mas vamos descobrir de uma vez por todas se ela está consciente. Podemos perguntar qual de nós ela prefere. Concorda?

Stefan sacudiu a cabeça.

— Como pode sugerir uma coisa dessas? Depois do que aconteceu... — Sua voz falhou.

— Com Katherine? Eu falo, já que você não consegue. Katherine tomou uma decisão tola e pagou por isso. Elena é diferente; ela tem juízo. Mas isso não importa, se você concordar — acrescentou ele, repelindo outros protestos de Stefan. — O fato é que ela agora está fraca e precisa de sangue. Cuidarei para que o consiga, depois descobrirei quem fez isso com ela. Você pode vir ou não. Fique à vontade.

Ele se levantou, arrastando Elena.

— Vamos.

Elena o seguiu obedientemente, satisfeita em, enfim, se mover. O bosque era interessante à noite; nunca havia percebido isso. As corujas lançavam chamados desolados de caça pelas árvores e ratos-veadeiros fugiam de seus pés que deslizavam. O ar era mais gelado em certos trechos, como se esfriasse primeiro nas cavidades e declives da mata. Ela achou fácil se mover em silêncio ao lado de Damon pelo leito de folhas; a questão era ter cuidado com onde pisava. Elena não olhou para trás para ver se Stefan os seguia.

Ao saírem do bosque, Elena reconheceu o lugar. Tinha estado ali naquele mesmo dia. Agora, porém, havia uma espécie de atividade frenética: luzes vermelhas e azuis piscando em carros, lanternas emoldurando as formas reunidas e escuras de pessoas. Elena os olhou com curiosidade. Várias eram conhecidas. Aquela mulher, por exemplo, com o rosto magro atormentado e os olhos angustiados — tia Judith? E o homem alto ao lado dela — o noivo de tia Judith, Robert?

Devia haver mais alguém com eles, pensou Elena. Uma criança de cabelo tão claro quanto o de Elena. Mas, por mais que tentasse, não conseguia formar o nome em sua mente.

As duas meninas de braços dados, paradas diante de uma roda de policiais, *daquelas* duas ela se lembrava. A baixinha ruiva que chorava era Bonnie. A mais alta de cabelos pretos, Meredith.

— Mas ela não está *na* água — dizia Bonnie a um homem de uniforme. A voz tremendo à beira das lágrimas. — Vimos Stefan retirá-la. Já falamos isso várias vezes.

— E você o deixou aqui com ela?

— Tivemos que deixar. A tempestade estava piorando e ainda havia algo que estava a caminho...

— Deixe isso pra lá — Meredith interrompeu. Ela só parecia um pouco mais calma do que Bonnie. — Stefan disse que se ele... tivesse de deixá-la, a colocaria deitada sob os salgueiros.

— E onde está Stefan agora? — perguntou outro homem uniformizado.

— Não sabemos. Voltamos para pedir ajuda. Ele deve ter nos seguido. Mas quanto ao que aconteceu com... com Elena...

— Bonnie se virou e enterrou a cara no ombro de Meredith.

Elas estavam nervosas *por minha causa*, percebeu Elena. Mas que coisa boba. Posso explicar tudo. Ela partiu em direção à luz, mas Damon a puxou de volta. Elena olhou para ele, magoada.

— Assim não. Escolha os que quiser e vamos atraí-los para fora — disse ele.

— Que eu quiser para quê?

— Para se alimentar, Elena. Agora você é uma caçadora. Aqueles ali são a sua presa.

Elena passou a língua no canino, em dúvida. Nada ali parecia com comida. Ainda assim, como Damon falou, ela estava inclinada a dar a ele o benefício da dúvida.

— O que você achar melhor — disse ela, obediente.

Damon inclinou a cabeça para trás, semicerrou os olhos, observando a cena como um especialista avaliando uma tela famosa.

— Bom, que tal simpaticíssimos paramédicos?

— *Não* — ordenou uma voz por trás deles.

Damon mal olhou para Stefan por sobre o ombro.

— E por que não?

— Porque já chega de ataques. Ela pode precisar de sangue humano, mas não terá de caçar para conseguir. — A expressão de Stefan era carrancuda e hostil, mas trazia um ar de determinação implacável.

— Existe outra maneira? — perguntou Damon com ironia.

— Você sabe que sim. Encontre alguém que esteja disposto... Ou que possa ser influenciado a isso. Alguém que o faça por Elena e seja mentalmente forte o bastante para lidar com isso.

— E eu devia saber onde encontrar tal modelo de virtude?

— Leve-a à escola. Encontrarei vocês lá — disse Stefan, e desapareceu.

Eles deixaram a cena ainda em alvoroço, as luzes piscando, as pessoas zanzando. Enquanto partiam, Elena percebeu algo estranho. No meio do rio, iluminado pelas lanternas, havia um carro. Estava completamente submerso, a não ser pelo para-choque dianteiro, que se projetava da água.

Que lugar idiota para estacionar um carro, pensou ela, seguindo Damon de volta ao bosque.

Stefan recuperava as sensações.

Doía. Ele pensou que havia superado a dor, que não sentiria mais nada. Quando pegou o corpo sem vida de Elena da água escura, ele pensou que jamais sentiria dor novamente porque nada seria páreo para aquele momento.

Stefan estava enganado.

Ele parou, e apoiou a mão que não estava machucada numa árvore, a cabeça baixa, respirando fundo. Quando a neblina vermelha clareou e ele pôde enxergar novamente, Stefan continuou, mas a dor que queimava no peito não diminuía. Pare de pensar nela, disse a si mesmo, sabendo que era inútil.

Mas ela não estava verdadeiramente morta. Isso não valia alguma coisa? Stefan pensou que jamais ouviria sua voz novamente, jamais sentiria seu toque...

E agora, quando ela o tocou, queria matá-lo.

Ele parou novamente, recurvando-se, temendo vomitar.

Ver Elena daquele jeito foi uma tortura pior do que vê-la fria, inerte e morta. É possível que Damon o tenha deixado vivo por isso. Talvez esta fosse a vingança dele.

E talvez Stefan devesse fazer o que pretendia depois de matar Damon. Esperar até o amanhecer e tirar o anel de prata que o protegia do sol. Banhar-se no abraço feroz daqueles raios até que queimassem a carne em seus ossos e eliminassem a dor de uma vez por todas.

Mas ele sabia que não faria isso. Enquanto Elena andasse pela face da Terra, ele jamais a deixaria. Mesmo que ela o odiasse, mesmo que o caçasse. Ele faria qualquer coisa para mantê-la segura.

Stefan pegou um atalho para o pensionato. Precisava se limpar antes de permitir que os humanos o vissem. Em seu quarto, ele lavou o sangue do rosto e do pescoço e examinou o braço. O processo de cura já começara e, concentrado, ele o aceleraria ainda mais. Estava esgotando rapidamente seus Poderes; a luta com o irmão já o enfraquecera. Mas isso era importante. Não por causa da dor — Stefan mal dava por ela — mas porque precisava estar preparado.

Damon e Elena esperavam na frente da escola. Ele podia sentir a impaciência do irmão e a presença selvagem de Elena no escuro.

— É melhor que isto dê certo — disse Damon.

Stefan não disse nada. O auditório da escola era outro centro de comoção. As pessoas deviam estar desfrutando do baile do Dia dos Fundadores; na realidade, aqueles que ficaram durante a tempestade andavam de um lado a outro ou se reuniam em pequenos grupos para conversar. Stefan olhou por entre a porta aberta, procurando mentalmente uma determinada presença.

Stefan a encontrou. Uma cabeça loura estava curvada sobre uma mesa no canto.

Matt.

Matt endireitou o corpo e olhou em volta, confuso. Stefan desejou que ele saísse. *Precisa de ar fresco*, pensou ele, insinuando a sugestão no subconsciente de Matt. *Você está com vontade de sair por um momento.*

A Damon, parado invisível pouco além da luz, ele disse, *Leve-a para a escola, para a sala de fotografia. Ela sabe onde fica. Não se mostre antes que eu autorize.* Depois voltou e esperou que Matt aparecesse.

Matt saiu, o rosto exausto virado para o céu sem lua. Tomou um susto violento quando Stefan falou com ele.

— Stefan! Você está aqui! — Desespero, esperança e horror lutavam para dominar sua expressão. Ele correu até Stefan. — Eles... conseguiram trazê-la de volta? Há alguma novidade?

— O que *você* soube?

Matt o encarou por um momento antes de responder.

— Bonnie e Meredith apareceram dizendo que Elena tinha caído da ponte Wickery com o meu carro. Disseram que ela... — Ele parou e engoliu em seco. — Stefan, não é verdade, é? — O olhar de Matt era suplicante.

Stefan desviou o rosto.

— Ah, meu Deus — disse Matt com a voz rouca. Ele se virou de novo para Stefan, apertando os olhos com as mãos. — Não acredito; eu *não* acredito. Não pode ser verdade.

— Matt... — Stefan tocou o ombro do rapaz.

— Desculpe. — A voz de Matt era áspera e entrecortada. — Você deve ter passado o diabo e aqui estou eu, piorando tudo.

Mais do que imagina, pensou Stefan, a mão se afastando. Ele veio com a intenção de usar seus Poderes para convencer Matt. Agora parecia algo impossível. Não podia fazer isso, não com o primeiro — e único — amigo humano que teve neste lugar.

Sua única alternativa era contar a verdade. Deixar que Matt tomasse a decisão, sabendo de tudo.

— Se houvesse alguma coisa que você pudesse fazer por Elena agora — disse ele —, você faria?

Matt estava perdido em emoções para indagar que pergunta idiota era aquela.

— Qualquer coisa — disse ele quase com raiva, passando a manga da camisa nos olhos. — Eu faria qualquer coisa por ela. — Ele olhou para Stefan de um jeito quase desafiador, a respiração trêmula.

28 ✦ *Diários do Vampiro – A Fúria*

Meus parabéns, pensou Stefan, sentindo o estômago ruir de repente. Acaba de ganhar uma viagem para *Além da Imaginação.*

— Venha comigo — disse ele. — Tenho que mostrar uma coisa a você.

3

Elena e Damon esperavam no escuro. Stefan podia sentir a presença dos dois no pequeno anexo ao empurrar a porta da sala de fotografia, abrindo-a e deixando Matt entrar.

— As portas deviam estar trancadas — disse Matt enquanto Stefan acendia um interruptor.

— E estavam — disse Stefan. Ele não sabia o que dizer para preparar Matt para o que viria. Nunca se revelou deliberadamente a um humano.

Stefan ficou parado, em silêncio, até que Matt se virou e olhou para ele. A sala de aula estava fria e silenciosa, o ar parecia pesado. Enquanto o instante se estendia, ele viu a expressão de Matt mudar lentamente do torpor de tristeza e confusão para a inquietude.

— Não estou entendendo — disse Matt.

30 ◆ *Diários do Vampiro – A Fúria*

— Sei que não está. — Ele continuava olhando para Matt, suspendendo intencionalmente as barreiras que escondiam seus Poderes da percepção humana. Viu no rosto de Matt quando a inquietude se fundiu ao medo. Matt piscou e sacudiu a cabeça, a respiração se acelerando.

— O quê...? — ele começou com a voz rouca.

— Você deve ter imaginado um monte de coisas a meu respeito — disse Stefan. — Por que uso óculos escuros na luz forte. Por que não como. Por que meus reflexos são tão rápidos.

Matt agora estava de costas para a sala escura. A garganta palpitando como se ele tentasse engolir. Com os sentidos de um predador, Stefan podia ouvir o coração de Matt batendo acelerado.

— Não — disse Matt.

— Você *deve* ter imaginado, já deve ter se perguntado o que me torna tão diferente dos outros.

— Não. Quer dizer, eu... não ligo. Não me meto no que não é da minha conta. — Matt aproximou-se sorrateiramente da porta, os olhos disparando para ela num movimento que mal era perceptível.

— Não, Matt. Não quero machucar você, mas não posso deixar que vá embora agora. — Stefan podia sentir a necessidade mal reprimida emanando de Elena em seu esconderijo. *Espere*, ele disse a ela.

Matt ficou imóvel, desistindo de qualquer tentativa de sair.

— Se queria me assustar, conseguiu — disse ele em voz baixa. — O que mais você quer?

Agora, disse Stefan a Elena. Ele disse a Matt:

— Vire-se.

Matt se virou. E reprimiu um grito.

Elena estava ali, mas não a Elena daquela tarde, quando Matt a viu pela última vez. Agora seus pés estavam descalços sob a bainha do vestido longo. As pregas finas de musselina branca que envolviam o seu corpo tinham crostas de cristais de gelo, que cintilavam na luz. A pele, sempre branca, aparentava agora um estranho brilho invernal e o cabelo louro claro parecia coberto de uma luz prateada. Mas a verdadeira diferença estava no rosto dela. Aqueles olhos azul-escuros tinham as pálpebras pesadas, e apesar de aparentarem sonolência, estavam estranhamente despertos. E uma expectativa sensual de energia faminta latejava em seus lábios. Ela estava mais linda do que nunca, mas era uma beleza apavorante.

Enquanto Matt a observava, paralisado, a língua rosada de Elena surgiu e ela lambeu seus próprios lábios.

— Matt — disse ela, demorando-se na primeira consoante de seu nome. E então sorriu.

Stefan ouviu o arfar contido de incredulidade e o quase soluço que Matt soltou quando enfim se afastou dela.

Está tudo bem, disse Stefan, mandando o pensamento a Matt numa onda de Poder. Enquanto Matt se virava subitamente para ele com os olhos arregalados de choque, Stefan acrescentou:

— Então agora você já sabe.

A expressão de Matt dizia que ele não queria saber e Stefan podia ver a negação em seu rosto. Mas Damon saiu de trás de

Elena e passou um pouco para a direita, acrescentando sua presença à atmosfera carregada da sala.

Matt estava cercado. Os três se fechavam sobre ele, inumanamente lindos, inerentemente ameaçadores.

Stefan podia sentir o cheiro de medo que vinha dele. Era o medo impotente que o coelho sente pela raposa, do camundongo pela coruja. E Matt estava certo em ter medo. Eles eram a espécie caçadora; ele era a caça. A missão deles no ciclo da vida era matá-lo.

E naquele momento os instintos já estavam saindo do controle. O instinto de Matt era entrar em pânico e correr, e isso incitava reflexos na mente de Stefan. Quando a presa corria, o predador perseguia; era simples. Os três predadores estavam tensos e Stefan sentia que não podia se responsabilizar pelas consequências caso Matt corresse.

Não queremos machucar você, disse ele a Matt. *É Elena que precisa de você, e o que ela precisa não causará danos permanentes. Nem precisa doer, Matt.* Mas os músculos de Matt ainda estavam retesados para a fuga e Stefan percebeu que os três preparavam o bote, aproximando-se, prontos para impedir qualquer escapatória.

Você disse que faria qualquer coisa por Elena, lembrou Stefan desesperadamente e então percebeu que ele tomara sua decisão.

Matt soltou a respiração, a tensão saindo de seu corpo.

— Tem razão; eu disse — sussurrou ele. Era visível que Matt se preparava antes de continuar. — Do que ela precisa?

Elena se inclinou para frente e colocou um dedo no pescoço de Matt, acompanhando a saliência submissa de uma artéria.

— Essa daí não — disse Stefan rapidamente. — Não quer matá-lo. Diga a ela, Damon. — Ele acrescentou, quando Damon não fez nenhum esforço para obedecer, *diga a ela*.

— Experimente aqui, ou aqui. — Damon apontou com uma eficiência clínica, erguendo o queixo de Matt. Ele era forte o bastante para Matt não conseguir se controlar e Stefan sentiu o pânico tomando conta do corpo de Matt novamente.

Confie em mim, Matt. Ele se deslocou para trás do rapaz humano. *Mas a decisão deve ser sua*, concluiu ele, de repente tomado por compaixão. *Você pode mudar de ideia*.

Matt hesitou e então falou entre dentes.

— Não. Ainda quero ajudar. Quero ajudar você, Elena.

— Matt — ela sussurrou, com os olhos azuis de pálpebras pesadas fixos nele. Depois os olhos de Elena desceram pelo pescoço dele e seus lábios se separaram, famintos. Não havia sinal da insegurança que ela havia demonstrado quando Damon sugeriu que se alimentasse dos paramédicos. — Matt. — Ela sorriu de novo e atacou, rápida como uma ave de rapina.

Stefan pôs a mão nas costas de Matt para oferecer apoio. Por um momento, enquanto os dentes de Elena penetravam em sua pele, Matt tentou recuar, mas Stefan imediatamente pensou, *Não lute; é isso que provoca a dor*.

Enquanto Matt tentava relaxar, uma ajuda inesperada veio da parte de Elena, que estava irradiando os felizes pensamentos de um filhote de lobo sendo alimentado. Ela acertou a téc-

34 ✦ *Diários do Vampiro – A Fúria*

nica de morder na primeira tentativa e se enchia de um orgulho inocente e uma satisfação crescente enquanto as pontadas de fome se atenuavam. E tinha consideração por Matt, percebeu Stefan, com um súbito choque de ciúme. Ela não odiava Matt, nem queria matá-lo, porque ele não representava nenhuma ameaça a Damon. Elena gostava de Matt.

Stefan deixou que ela sugasse o quanto fosse seguro e depois interferiu. *Já basta, Elena; não quer feri-lo.* Mas foi necessário combinar o esforço dele ao de Damon e ao de um Matt grogue para arrancá-la dali.

— Ela agora precisa descansar — disse Damon. — Vou levá-la a um lugar onde possa fazer isso com segurança. — Ele não estava pedindo a Stefan; estava apenas comunicando a ele.

Enquanto os dois saíam, a voz mental de Damon acrescentou somente para os ouvidos de Stefan, *Não me esqueci do modo como me atacou, irmão. Conversaremos sobre isso depois.*

Stefan os observou partir. Notou que os olhos dela continuavam fixos em Damon, que ela o seguia sem questionar. Mas Elena agora estava fora de perigo; o sangue de Matt dera a força de que ela precisava. Era nisso que Stefan teria de se prender agora, e ele disse a si mesmo que era tudo o que importava.

Ele se virou para compreender a expressão atônita de Matt. O menino humano havia se jogado em uma das cadeiras de plástico e olhava fixamente à frente.

Depois seus olhos se encontraram com os de Stefan e eles se encararam com severidade.

— Então — disse Matt. — Agora eu sei. — Ele sacudiu a cabeça, virando-a de leve. — Mas ainda não acredito — murmurou ele. Seus dedos apertaram cautelosamente a lateral do pescoço e ele estremeceu. — A não ser por isto. — Matt franziu o cenho. — Aquele cara... o Damon. Quem é ele?

— Meu irmão mais velho — disse Stefan secamente. — Como sabe o nome dele?

— Ele foi à casa de Elena na semana passada. A gata o atacou. — Matt parou de falar, claramente se lembrando de mais uma coisa. — E Bonnie teve uma espécie de ataque paranormal.

— Ela teve uma premonição? O que ela disse?

— Ela disse... disse que a Morte estava na casa.

Stefan olhou a porta por onde Damon e Elena haviam passado.

— E ela estava certa.

— Stefan, o que está havendo? — Um tom de súplica havia penetrado na voz de Matt. — Ainda não entendo. O que aconteceu com Elena? Ela vai ficar assim para sempre? Não há nada que possamos fazer?

— Ficar assim, como? — disse Stefan com brutalidade. — Desorientada? Uma vampira?

Matt virou a cara.

— As duas coisas.

— Quanto à primeira, agora que ela está alimentada, pode ficar mais racional. É o que Damon pensa, de qualquer forma. Já quanto à segunda, só há uma coisa que você pode fazer para alterar a condição dela. — Enquanto os olhos de Matt se iluminavam de esperança, Stefan continuou. — Pode pegar uma

36 ✦ *Diários do Vampiro – A Fúria*

estaca de madeira e cravá-la com um martelo em seu coração. Assim ela não seria mais vampira. Estaria morta.

Matt se levantou e foi à janela.

— Você, na verdade, não a estaria matando, afinal, isso já foi feito. Ela se afogou no rio, Matt. Mas como obteve sangue suficiente de mim — ele parou para estabilizar a voz — e, ao que parece, do meu irmão, ela se transformou em vez de simplesmente morrer. Despertou uma caçadora, como nós. É o que ela será de agora em diante.

Ainda de costas, Matt respondeu.

— Sempre soube que havia algo em você. Dizia a mim mesmo que deveria ser assim porque você era de outro país. — Ele sacudiu a cabeça de novo, cheio de desprezo por si mesmo. — Mas no fundo eu sabia que era mais do que isso. E algo ainda ficava me dizendo que eu devia confiar em você, e eu confiei.

— Como quando você foi comigo pegar a verbena.

— É. Como isso. — E acrescentou: — Agora pode me dizer para que diabos era aquilo?

— Para a proteção de Elena. Eu queria manter Damon longe dela. Mas parece que, no final das contas, não era o que *ela* queria. — Ele não pôde evitar a amargura, a traição crua, em sua voz.

Matt se virou.

— Não a julgue antes de conhecer todos os fatos, Stefan. Essa foi uma coisa que eu aprendi.

Stefan ficou sobressaltado; depois, deu um leve sorriso sem humor. Como ex-namorados de Elena, ele e Matt agora estavam na mesma situação. Ele se perguntou se seria tão elegante quanto Matt. Se também encararia a derrota como um cavalheiro.

Stefan não acreditava nisso.

Lá fora, começou um ruído. Era inaudível a ouvidos humanos e Stefan quase o ignorou — até que as palavras penetraram em sua consciência.

Então ele se lembrou do que tinha feito nesta mesma escola há apenas algumas horas. Até aquele momento, tinha se esquecido completamente de Tyler Smallwood e seus amigos violentos.

Agora aquela lembrança havia voltado; a vergonha e o horror fecharam sua garganta. Ele estava fora de si de tanta tristeza por Elena e seu raciocínio espatifara sob pressão. Mas não existiam desculpas para o que ele havia feito. Estariam eles mortos? Teria ele, que tempos atrás jurou jamais matar, dado fim a seis pessoas hoje?

— Stefan, espere. Aonde você vai? — Como ele não respondeu, Matt o seguiu, quase correndo para acompanhá-lo, deixou o prédio principal da escola e chegou ao asfalto. Do outro lado do campo, o sr. Shelby estava parado perto do barracão.

A cara do zelador era cinza e tomada de rugas de pavor. Ele parecia tentar gritar, mas só um ofegar curto e rouco saía de sua boca. Passando a cotoveladas pelo zelador, Stefan olhou o barracão e teve uma curiosa sensação de *déjà vu*.

Parecia a sala do Estripador da festa de arrecadação de fundos da Casa Mal-Assombrada. Só que isto não era uma representação montada para os visitantes. Era de verdade.

38 ✦ *Diários do Vampiro – A Fúria*

Corpos estavam espalhados por todo lado, em meio a lascas de madeira e cacos de vidro da janela quebrada. Cada superfície visível tinha sangue derramado, vermelho-amarronzado e sinistro ao secar. E bastava olhar os corpos para saber o motivo: cada um deles tinha um par de feridas roxas e nítidas no pescoço. Exceto Caroline: seu pescoço não trazia marcas, mas os olhos eram vagos e fixos.

Atrás de Stefan, Matt ofegava.

— Stefan, Elena não... Ela não...

— Silêncio — respondeu Stefan, tenso. Ele olhou para o sr. Shelby, mas o zelador tinha tropeçado no carrinho de vassouras e esfregões e estava encostado nele. O vidro rangia sob os pés de Stefan enquanto ele atravessava o chão para se ajoelhar ao lado de Tyler.

Não estava morto. O alívio explodiu em Stefan. O peito de Tyler se movia sutilmente e quando Stefan ergueu a cabeça do menino seus olhos se abriram numa fenda, fixos e desfocados.

Você não se lembra de nada, disse Stefan a Tyler mentalmente. Ao fazer isso, Stefan se perguntou por que se dava a esse trabalho. Ele devia sair de Fell's Church, ir embora agora e nunca mais voltar.

Mas não iria embora. Não enquanto Elena estivesse ali.

Ele pegou a mente inconsciente das outras vítimas em suas garras mentais e lhes disse a mesma coisa, entrando fundo na mente de cada uma delas. *Você não lembra quem atacou. A tarde toda é um borrão.*

Ao fazer isso, ele sentiu seus Poderes mentais tremerem como músculos fatigados demais. Estava à beira do completo esgotamento.

Do lado de fora, o sr. Shelby enfim encontrou sua voz e gritava. Exausto, Stefan deixou a cabeça de Tyler escorregar entre seus dedos até o chão e se virou.

Os lábios de Matt estavam repuxados, as narinas infladas, com se ele tivesse acabado de sentir um cheiro nauseante. Os olhos eram os de um estranho.

— Não foi Elena — sussurrou ele. — Foi *você*.

Silêncio! Stefan passou por ele, empurrando-o, para o agradável frio da noite, guardando distância entre si e aquele barracão, sentindo o ar gelado na pele quente. Passos apressados dos arredores do refeitório indicavam que alguns humanos enfim ouviram os gritos do zelador.

— Foi você, não foi? — Matt seguira Stefan até o campo. Sua voz dizia que ele tentava compreender.

Stefan se virou para ele.

— Sim, fui eu — ele rosnou. Ele olhou Matt de cima, sem esconder a ameaça colérica em seu rosto. — Eu lhe disse, Matt, somos caçadores. Assassinos. Você é a ovelha; nós somos os lobos. E Tyler estava pedindo por isso desde o dia em que cheguei aqui.

— Pedindo um murro no nariz, isso sim, como o que você lhe deu antes. Mas... isso? — Matt se aproximou de Stefan, olhando-o nos olhos, sem medo. Ele tinha coragem física; Stefan precisava reconhecer. — E você nem se arrepende? Não sente remorso por isso?

40 ✦ *Diários do Vampiro – A Fúria*

— Por que sentiria? — disse Stefan com frieza, num tom oco. — Você se arrepende de quando come muita carne? Lamenta pela vaca? — Ele percebeu a expressão de incredulidade nauseada de Matt e pressionou-o, impelindo a dor mais fundo em seu peito. Era melhor que Matt ficasse longe dele de agora em diante, bem longe. Ou Matt poderia terminar como aquela gente no barracão. — Eu sou o que sou, Matt. E se não pode lidar com isso, é melhor ficar longe de mim.

Matt o fitou por um momento a mais, a incredulidade se transformando aos poucos em desilusão, mas a náusea sempre presente. Os músculos em volta de seu queixo se retesaram. Depois, sem dizer nada, ele deu meia-volta e se afastou.

Elena estava no cemitério.

Damon a deixara ali, exortando-a para que ficasse até ele voltar. Mas Elena não queria ficar parada. Estava cansada, mas não tinha sono, e o sangue novo a afetava como um choque de cafeína. Ela queria sair para explorar.

O cemitério estava cheio de atividade, embora não houvesse humano nenhum à vista. Uma raposa escapou pelas sombras para a trilha do riacho. Pequenos roedores faziam um túnel sob a relva alta em volta das lápides, guinchando e correndo. Uma coruja voou quase em silêncio para a igreja em ruínas, onde pousou no campanário com um chamado sinistro.

Elena se levantou e a seguiu. Era muito melhor do que se esconder na relva como um rato ou um arganaz. Ela olhou a igreja em ruínas com interesse, usando seus sentidos afiados para examiná-la. A maior parte do telhado tinha caído e só três paredes estavam de pé, mas o campanário se erguia como um monumento solitário no entulho.

Em um lado havia o túmulo de Thomas e Honoria Fell, como uma grande caixa de pedra ou caixão. Elena olhou as faces de mármore branco das estátuas na tampa. Estavam deitadas num sono tranquilo, os olhos fechados, as mãos cruzadas no peito. Thomas Fell parecia sério e meio severo, mas Honoria parecia apenas triste. Elena pensou distraída em seus próprios pais, deitados lado a lado no cemitério moderno.

Vou para casa; é para lá que eu vou, pensou ela. Acabara de se lembrar de sua casa. Podia imaginá-la agora; seu lindo quarto com cortinas azuis, móveis de cerejeira e a pequena lareira. E havia algo importante debaixo das tábuas do piso do armário.

Ela encontrou o caminho para a Maple Street usando instintos que eram mais profundos do que a memória, deixando que seus pés a guiassem para lá. Era uma casa antiga, com uma varanda grande na frente e janelas que iam do chão ao teto. O carro de Robert estava estacionado na entrada.

Elena partiu para a porta da frente e parou. Havia um motivo para que as pessoas não devessem vê-la, embora ela não conseguisse se lembrar agora. Depois de hesitar subiu com agilidade no marmeleiro e foi até a janela de seu quarto.

Mas não poderia entrar ali sem ser vista. Uma mulher estava sentada na cama com o quimono vermelho de seda de Elena no colo, olhando para ele. A tia Judith. Robert estava de pé

42 ✦ *Diários do Vampiro – A Fúria*

junto à cômoda, falando com ela. Elena descobriu que podia captar o murmúrio de sua voz, mesmo através do vidro.

— ... amanhã de novo — dizia ele. — Desde que não chova. Eles vão vasculhar cada centímetro do bosque e vão encontrá-la, Judith. Você verá. — A tia Judith não disse nada e ele continuou, parecendo mais desesperado. — Não podemos perder as esperanças, independente do que as meninas dizem...

— Isso não está dando certo, Bob. — Tia Judith enfim levantou a cabeça e seus olhos estavam avermelhados, mas secos. — De nada adianta.

— O esforço de resgate? Não quero que fale desse jeito. — Ele se aproximou para ficar ao lado dela.

— Não, não é só isso... Embora no fundo eu saiba que não vamos encontrá-la viva. Eu quis dizer... Tudo. Nós. O que aconteceu hoje foi por nossa culpa...

— Isso não é verdade. Foi um acidente anormal.

— Sim, mas nós o provocamos. Se não tivéssemos sido tão duros com Elena, ela nunca teria saído de carro sozinha e não seria pega pela tempestade. Não, Bob, não tente me calar; quero que você ouça. — A tia Judith respirou fundo e continuou. — E nem foi só hoje. Elena vinha tendo problemas há tempos, desde que as aulas começaram, e de algum modo deixei que os sinais me escapassem. Porque eu estava absorta demais comigo mesma... *conosco*... para prestar atenção. Agora eu entendo. E agora que Elena... se foi... não quero que aconteça o mesmo com Margaret.

— O que está dizendo?

— Estou dizendo que não posso me casar com você, não tão cedo, como planejamos. Talvez nunca. — Sem olhar para ele, ela falou com suavidade. — Margaret já perdeu demais. Não quero que ela sinta que está me perdendo também.

— Ela não estaria perdendo você. Se tanto, ela vai ganhar alguém, porque eu estarei presente com mais frequência. Você sabe o que sinto por ela.

— Desculpe, Bob; não vejo a questão dessa maneira.

— Não pode estar falando sério. Depois de todo o tempo que passamos aqui... Depois de tudo o que eu fiz...

A voz de tia Judith era seca e implacável.

— Eu *estou* falando sério.

Do poleiro do lado de fora da janela, Elena olhou Robert com curiosidade. Uma veia pulsava na testa enquanto o rosto dele ficava vermelho.

— Vai pensar diferente amanhã — disse ele.

— Não vou, não.

— Você não está falando sério...

— Eu *falo* a sério. Não me diga que vou mudar de ideia, porque não vou.

Por um instante, Robert olhou em volta numa frustração impotente; depois, sua expressão ensombreceu. Quando falou, a voz era monótona e fria.

— Sei. Bem, se esta é sua resposta definitiva, é melhor eu ir embora agora.

— Bob. — A tia Judith se virou, sobressaltada, mas ele já estava do lado de fora da porta. Ela se levantou, hesitante, como se não tivesse certeza se ia ou não atrás dele. Seus dedos

44 ✦ *Diários do Vampiro – A Fúria*

apertaram o tecido vermelho que seguravam. — Bob! — ela chamou de novo, com mais urgência, e se virou para deixar o quimono na cama de Elena antes de segui-lo.

Mas ao se virar ela arfou, a mão voando à boca. Todo seu corpo enrijeceu. Seus olhos fitaram os de Elena através do vidro prateado. Por um longo momento, elas se olharam assim, imóveis. Depois a mão da tia Judith se afastou da boca e ela começou a gritar.

4

Alguma coisa arrancou Elena da árvore e, uivando em protesto, ela caiu e pousou de pé como um gato. Seus joelhos bateram no chão um segundo depois e ficaram machucados.

Ela recuou, as mãos em garra para atacar o responsável por isso. Damon afastou a mão dela com um tapa.

— Por que você me agarrou? — perguntou ela.

— Por que não ficou onde a deixei? — rebateu ele.

Eles se fuzilaram com os olhos, igualmente furiosos. Depois Elena se distraiu. Os gritos ainda vinham do segundo andar, aumentados agora pelas pancadas na janela. Damon a empurrou contra a casa, onde não podiam ser vistos de cima.

— Vamos sair de perto deste barulho — disse ele, exigente, olhando para cima. Sem esperar por uma resposta, Damon pegou-a pelo braço. Elena resistiu.

— Tenho que entrar lá!

— Não pode. — Ele deu-lhe um sorriso selvagem. — E quero dizer literalmente. Você *não pode* entrar nessa casa. Não foi convidada.

Confusa por um instante, Elena deixou que ele a arrastasse por alguns passos. Depois cravou os pés no chão de novo.

— Mas preciso do meu diário!

— O quê?

— No armário, debaixo das tábuas do piso. Eu preciso dele. Não posso dormir sem meu diário. — Elena não sabia por que estava fazendo tanto estardalhaço, mas parecia importante.

Damon ficou exasperado; depois, sua expressão abrandou.

— Tome — disse ele calmamente, os olhos cintilando. E tirou alguma coisa da jaqueta. — Pegue.

Elena olhou a oferta em dúvida.

— É o seu diário, não é?

— É, mas é o antigo. Quero o novo.

— Este terá de servir, porque é só o que vai ter. Vamos logo antes que eles acordem o bairro todo. — Sua voz ficara fria e autoritária de novo.

Elena considerou melhor o livro que ele segurava. Era pequeno, com uma capa de veludo azul e um fecho de bronze. Talvez não fosse a edição mais nova, mas era algo bem familiar. Ela concluiu que era aceitável.

Elena deixou que Damon a levasse pela noite.

Não perguntou aonde estavam indo. Não se importava muito. Mas reconheceu a casa na Magnolia Avenue; era onde Alaric Saltzman estava morando.

E foi Alaric que abriu a porta, gesticulando para Elena e Damon entrarem. O professor de história estava estranho e não parecia realmente enxergá-los. Com os olhos vidrados, ele se movia como um autômato.

Elena lambeu os lábios.

— Não — disse Damon rispidamente. — Este não é para morder. Há alguma coisa suspeita nele, mas você deve ficar segura dentro da casa. Já dormi aqui. Bem ali. — Ele a levou por um lance de escada até um sótão com uma janelinha. Era abarrotado de objetos guardados: trenós, esquis, uma rede. Na ponta, havia um velho colchão no chão.

— Ele nem saberá que você estará aqui amanhã de manhã. Deite-se. — Elena obedeceu, assumindo uma posição que parecia natural para ela. Deitou-se de costas, as mãos cruzadas sobre o diário que protegia no peito.

Damon colocou um tapete em cima de Elena, cobrindo seus pés descalços.

— Durma, Elena — disse ele.

Ele se curvou sobre ela e por um momento Elena pensou que ele ia... fazer alguma coisa. Os pensamentos de Elena estavam nebulosos demais. Mas os olhos escuros como a noite de Damon encheram sua visão. Depois ele recuou e ela conseguiu respirar novamente. A escuridão do sótão baixou sobre ela, seus olhos se fecharam aos poucos e ela dormiu.

Ela acordou devagar, reunindo informações sobre onde estava, pedaço por pedaço. Pelo que parecia, era o sótão de alguém. O que ela fazia ali?

48 ✦ *Diários do Vampiro – A Fúria*

Ratos ou camundongos disparavam em meio às pilhas de objetos cobertos de encerado, mas o som não a incomodava. O mais leve vestígio de luz aparecia pelas frestas da janela fechada. Elena empurrou o cobertor improvisado e se levantou para investigar.

Sem dúvida era o sótão de alguém, e não de alguém que ela conhecesse. Ela sentia que estivera doente por muito tempo e tinha acordado de sua enfermidade. Que dia é hoje?, perguntou-se ela.

Elena podia ouvir vozes abaixo. No primeiro andar. Alguma coisa dizia para ela ter cuidado e ficar em silêncio. Ela teve medo de causar qualquer perturbação. Abriu a porta do sótão sem fazer ruído e cautelosamente desceu até o patamar. Olhando para baixo, podia ver uma sala de estar. Ela a reconheceu; sentou-se naquela poltrona quando Alaric Saltzman deu uma festa. Ela estava na casa dos Ramsey.

E Alaric Saltzman estava lá embaixo; Elena podia ver seu cocoruto com cabelo cor de areia. O tom de voz de Alaric a desnorteou. Depois de um instante, ela percebeu que era porque ele não parecia presunçoso, nem idiota, nem nada parecido como costumava ficar em sala de aula. Também não estava soltando sua psicologia barata. Falava fria e decisivamente com outros dois homens.

— Ela pode estar em qualquer lugar, até debaixo de nosso nariz. Mas é mais provável que esteja fora da cidade. Talvez no bosque.

— Por que no bosque? — disse um dos homens. Elena também conhecia aquela voz, e aquela careca. Era o sr. Newcastle, o diretor da escola.

— Lembra que as duas primeiras vítimas foram encontradas perto do bosque? — disse o terceiro homem. Aquele era o dr. Feinberg?, pensou Elena. O que ele fazia aqui? O que *eu* estou fazendo aqui?

— Não, é mais do que isso — dizia Alaric. Os outros homens ouviam-no com respeito, até com deferência. — O bosque tem relação com isso. Eles podem ter um esconderijo por lá, uma toca onde possam se enterrar, se forem descobertos. Se houver uma, eu vou encontrar.

— Tem certeza? — disse o dr. Feinberg.

— Absoluta — disse Alaric concisamente.

— E é aí que você acha que Elena está — disse o diretor. — Mas ela vai ficar lá? Ou voltará para a cidade?

— Não sei. — Alaric andou alguns passos e pegou um livro na mesa de centro, passando o polegar por ele, distraidamente. — Uma maneira de descobrir é observarmos as amigas dela. Bonnie McCullough e aquela de cabelos castanhos, Meredith. É provável que sejam as primeiras a vê-la. Em geral é assim que acontece.

— E depois que a localizarmos? — perguntou o dr. Feinberg.

— Deixe isso comigo — disse Alaric em voz baixa e impiedosa. Ele fechou o livro e o largou na mesa de centro com um baque perturbadoramente conclusivo.

O diretor olhou o relógio.

— É melhor ir andando; o funeral começa às dez horas. Vocês dois estarão lá? — Ele parou a caminho da porta e olhou para trás de um jeito decidido. — Alaric, espero que cuide disso. Quando o chamei aqui, as coisas não tinham ido tão longe. Agora estou começando a me perguntar...

50 ◆ *Diários do Vampiro – A Fúria*

— Eu *posso* cuidar disso, Brian. Eu lhe disse; deixe comigo. Preferia ver a Robert E. Lee em todos os jornais, não só como a cena de uma tragédia, mas também como "A Escola Mal-Assombrada de Boone County"? Um ponto de encontro de espíritos do mal? A escola onde andam os mortos-vivos? É esse tipo de publicidade que quer?

O sr. Newcastle hesitou, mordendo o lábio, depois assentiu, ainda insatisfeito.

— Muito bem, Alaric. Mas que seja algo rápido e limpo. Vejo você na igreja. — Ele saiu e o dr. Feinberg o seguiu.

Alaric ainda ficou parado ali por algum tempo, aparentemente olhando o vazio. Por fim, assentiu uma única vez e saiu pela porta da frente.

Elena subiu as escadas devagar.

Ora, do que se tratava tudo aquilo? Ela estava confusa, como se flutuasse solta no tempo e no espaço. Precisava saber que dia era hoje, por que estava ali e por que tinha tanto medo. Por que sentia com tanta intensidade que ninguém devia vê-la, ouvi-la, nem dar por sua presença.

Olhando o sótão, ela não viu nada que pudesse ser útil. Onde estivera deitada só havia um colchão e o tapete — e um livrinho azul.

Seu diário! Ansiosa, ela o pegou e o abriu, pulando as entradas. Paravam em 17 de outubro; não tinha utilidade nenhuma para descobrir a data de hoje. Mas enquanto Elena via o que escrevera, imagens se formaram em sua mente, unindo-se como pérolas num colar, compondo lembranças. Fascinada, ela se sentou devagar no colchão. Voltou ao início e começou a ler sobre a vida de Elena Gilbert.

Quando terminou, estava fraca de medo e pavor. Pontos luminosos dançavam e tremeluziam diante de seus olhos. Havia dor demais naquelas páginas. Tantas tramas, tantos segredos, tanta carência. Era a história de uma menina que se sentia perdida em sua própria cidade natal, em sua própria família. Que estivera procurando... por alguma coisa, algo que jamais alcançaria. Mas não foi isso que provocou o pânico palpitante em seu peito e esgotou toda a energia do seu corpo. Não era por isso que Elena se sentia numa queda livre mesmo quando estando sentada e imóvel. O que provocou o pânico foi que ela *se lembrou*.

Ela agora se lembrava de tudo.

A ponte, a água corrente. O terror enquanto o ar deixava seus pulmões e só havia líquido para respirar. A dor que sentiu. E o instante final, quando parou de doer, quando tudo parou. Quando tudo... parou.

Ah, Stefan, eu estava tão assustada, pensou ela. E agora o mesmo medo estava dentro dela. No bosque, como ela pôde se comportar daquele jeito com Stefan? Como pôde ter se esquecido dele, de tudo o que ele significava para ela? O que a fez agir daquela maneira?

Mas ela sabia. No cerne de sua consciência, Elena sabia. Ninguém se levantava e saía andando de um afogamento daquele jeito. Ninguém se levantava e saía andando, com vida.

Lentamente, ela se ergueu e foi olhar a janela fechada. O vidro escuro agia como um espelho, oferecendo seu reflexo.

Não era o reflexo que ela vira em seu sonho, onde disparava por um corredor de espelhos que pareciam ter vida própria. Não havia nada de dissimulado ou cruel neste rosto. Embora fosse o mesmo, era sutilmente diferente do que estava acostumada a ver. Havia na pele dela um brilho pálido e em volta dos olhos uma cavidade reveladora. Elena tocou o pescoço com a ponta dos dedos, lateralmente. Foi ali que Stefan e Damon sugaram o sangue dela. Teria sido a quantidade necessária, será que ela realmente recebeu o bastante deles?

Deve ter sido. E agora, pelo resto de sua vida, pelo resto de sua existência, teria de se alimentar como Stefan. Ela teria de...

Ela caiu de joelhos, encostando a testa na madeira nua de uma parede. Não posso, pensou ela. Ah, por favor, eu não posso; não posso.

Elena nunca foi muito religiosa. Mas do íntimo seu pavor crescia e cada partícula de seu ser se uniu no apelo por ajuda. Ah, por favor, pensou ela. Por favor, por favor, ajude-me. Não pediu nada específico; não conseguia organizar os pensamentos para tanto. Apenas isto: Ah, por favor, ajude-me por favor, *por favor*.

Depois de um tempo, Elena se levantou novamente.

O rosto dela ainda estava pálido, mas sinistramente bonito, como porcelana fina iluminada por dentro. Os olhos ainda estavam maculados de sombras. Mas traziam determinação.

Precisava encontrar Stefan. Se havia alguma ajuda para ela, ele saberia. E se não houvesse... Bem, precisaria ainda mais dele. Não havia outro lugar onde ela quisesse estar, a não ser ao lado dele.

Ela fechou a porta do sótão com cuidado enquanto saía. Alaric Saltzman não devia descobrir o esconderijo dela. Na parede, viu um calendário com os dias riscados até 4 de dezembro. Quatro dias desde a noite de sábado. Ela havia dormido por quatro dias.

Quando chegou à porta da frente, Elena se encolheu com a luz do lado de fora. Doía. Embora o céu estivesse tão nublado que a chuva ou a neve parecesse iminente, doía em seus olhos. Ela teve de se obrigar a sair da segurança da casa, depois foi corroída pela paranoia de estar em um espaço aberto. Esgueirou-se pelas cercas, mantendo-se perto das árvores, pronta para se misturar às sombras. Sentia-se ela mesma uma sombra — ou um fantasma, com o vestido longo e branco de Honoria Fell. Ela mataria de medo qualquer um que a visse.

Mas todo aquele cuidado parecia inútil. Não havia ninguém nas ruas; parecia uma cidade abandonada. Elena seguiu por casas aparentemente desertas, jardins abandonados, lojas fechadas. Agora via carros estacionados na rua, mas também estavam vazios.

Depois viu uma forma contra o céu que a fez parar imediatamente. Uma torre, branca contra as nuvens densas e escuras. As pernas de Elena tremeram enquanto ela se obrigava a se esgueirar para mais perto da construção. Conhecia esta igreja desde criança; vira a cruz inscrita naquela parede umas mil vezes. Mas agora se aproximava dali como se houvesse um animal enjaulado que podia, de repente, se soltar e mordê-la. Ela colocou a mão na parede de pedra e deslizou-a cada vez mais perto do símbolo entalhado.

54 ✦ *Diários do Vampiro – A Fúria*

Quando os dedos abertos tocaram o braço da cruz, os olhos de Elena se encheram e a garganta doeu. Ela deslizou a mão pela cruz até cobrir delicadamente o entalhe. Depois se encostou na parede e deixou que as lágrimas saíssem.

Não sou má, pensou ela. Fiz coisas que não devia ter feito. Pensei demais em mim mesma; jamais agradeci a Matt, Bonnie e Meredith por tudo o que fizeram por mim. Eu devia ter brincado mais com Margaret e sido mais gentil com a tia Judith. Mas não sou má. Eu não sou amaldiçoada.

Quando conseguiu enxergar novamente, ela olhou o prédio. O sr. Newcastle disse alguma coisa sobre a igreja. Era a esta que ele se referia?

Ela evitou a frente do prédio e a entrada principal. Havia uma porta lateral que levava à galeria do coro e ela subiu a escada sem fazer ruído, olhando para baixo.

Elena logo entendeu por que as ruas estavam tão vazias. Parecia que todo mundo de Fell's Church estava ali, os assentos todos ocupados e, no fundo da igreja, muitas pessoas estavam de pé. Olhando as filas da frente, Elena percebeu que reconhecia cada rosto que estava ali; eram de colegas da escola, vizinhos e amigos da tia Judith. A tia Judith também estava ali, com o vestido preto que usara no enterro dos pais de Elena.

Ah, meu Deus, pensou Elena. Seus dedos agarraram a grade. Até agora esteve ocupada demais olhando em volta para ouvir o que estava sendo dito, mas a voz monótona e baixa do reverendo Bethea de repente formou palavras distintas.

— ... partilhar nossas lembranças desta menina muito especial — disse ele, e andou de lado.

Elena viu o que aconteceu depois com a sensação sobrenatural de que tinha um camarote num teatro. Não estava envolvida nos acontecimentos do palco; era só uma espectadora, mas era a *própria* vida que ela assistia.

O sr. Carson, pai de Sue Carson, levantou-se e falou sobre ela. Os Carson a conheciam desde criança e ele falou dos tempos em que Elena e Sue brincavam no jardim no verão. Falou da jovem bonita e realizada que ela se tornou. Ele ficou com um nó na garganta e teve de parar e tirar os óculos.

Sue Carson se levantou. Ela e Elena não eram amigas íntimas desde o ensino fundamental, mas ainda se davam bem. Sue tinha sido uma das poucas meninas que ficaram ao lado de Elena depois que Stefan tornou-se suspeito do assassinato do Sr. Tanner. Mas agora Sue chorava como se tivesse perdido uma irmã.

— Muita gente não foi legal com Elena depois do Halloween — disse ela, enxugando os olhos e continuando. — E eu sei que isso a magoou. Mas Elena era *forte*. Ela nunca mudou só para se adaptar ao que os outros pensavam que devia ser. E eu a respeitava por isso, tanto... — A voz de Sue oscilou. — Quando concorri a Rainha do Baile, eu queria ser eleita, mas sabia que isso não aconteceria e estava tudo bem. Porque se a Robert E. Lee um dia teve uma rainha, foi Elena. E acho que ela sempre será, porque é assim que todos vamos nos lembrar dela. E acho que nos próximos anos as meninas que forem para nossa escola se lembrarão dela e pensarão que ela fazia o que achava certo... — Desta vez Sue não conseguiu sustentar a voz e o reverendo a ajudou a sentar novamente.

56 ✦ *Diários do Vampiro – A Fúria*

As meninas de sua turma de último ano, até aquelas mais antipáticas e rancorosas, choravam e davam as mãos. Meninas que Elena sabia que a odiavam estavam fungando. De repente ela era a melhor amiga de todo mundo.

Havia meninos chorando também. Chocada, Elena se aproximou mais da grade. Não conseguia parar de olhar, embora fosse a coisa mais terrível que vira na vida.

Frances Decatur se levantou, o rosto branco mais pálido que nunca de tristeza.

— Ela fez o possível para ser legal comigo — disse ela com a voz rouca. — Ela me deixou almoçar com ela. — Que besteira, pensou Elena. Só falei com você antes de tudo porque você me seria útil para descobrir informações sobre Stefan. Mas era o mesmo com cada um que subia ao púlpito; ninguém tinha palavras suficientes para elogiar Elena.

"Eu sempre a admirei..."

"Ela era um modelo para mim..."

"Uma de minhas alunas preferidas..."

Quando Meredith subiu, todo o corpo de Elena enrijeceu. Não sabia se suportaria isso. Mas a menina de cabelos pretos era uma das poucas pessoas na igreja que não chorava, embora seu rosto tivesse uma expressão grave e triste que lembrou Elena do túmulo de Honoria Fell.

— Quando penso em Elena, penso no quanto nos divertimos juntas — disse ela, falando baixo e com o autocontrole de sempre. — Elena sempre tinha ideias e podia transformar o trabalho mais chato em diversão. Nunca disse isso a ela, e agora gostaria de ter dito. Gostaria de poder falar com ela mais uma vez, só para que ela soubesse. E se Elena pudesse me ouvir agora — Meredith olhou a igreja e respirou fundo, aparentemente para se acalmar — se ela pudesse me ouvir agora, eu diria a ela o quanto essas ocasiões significaram para mim e o quanto eu gostaria que ainda pudéssemos ficar juntas. Como nas noites de quinta-feira, quando a gente costumava ficar juntas em seu quarto, praticando para a equipe de debates. Queria poder fazer isso mais uma vez, como costumávamos fazer. — Meredith respirou fundo de novo e sacudiu a cabeça. — Mas sei que não podemos e isso dói.

Do que você está falando?, pensou Elena, a infelicidade interrompida pelo pasmo. Nós costumávamos praticar para a equipe de debates nas noites de *quarta-feira*, e não nas quintas. E não era no meu quarto; era no seu. E não era nada divertido; na verdade, a gente acabava desistindo porque nós duas odiávamos...

De repente, vendo a expressão cuidadosamente composta de Meredith, tão calma por fora para esconder a tensão por dentro, Elena sentiu o coração martelar.

Meredith mandava um recado, um recado que só Elena podia compreender. O que significava que Meredith esperava que Elena pudesse ouvi-la.

Meredith sabia.

Será que Stefan contou a ela? Elena percorreu com os olhos as filas de gente que a pranteava, percebendo pela primeira vez que Stefan não estava ali. Nem Matt. Não, não parecia provável que Stefan contasse a Meredith, ou que Meredith teria escolhido dar um recado a ela desse jeito, se pudesse. Então

Elena se lembrou do modo como Meredith a olhou na noite em que elas resgataram Stefan do poço, quando Elena pediu para ficar a sós com Stefan. Ela se lembrou daqueles olhos escuros e perspicazes examinando seu rosto mais de uma vez nos últimos meses, e como Meredith parecia ficar cada vez mais calada e mais pensativa sempre que Elena aparecia com um pedido estranho.

Meredith adivinhara, então. Elena se perguntou o quanto da verdade ela teria deduzido.

Bonnie agora subiu ao púlpito, aos prantos. Isto era surpreendente; se Meredith sabia, por que não havia contado a Bonnie? Mas talvez Meredith só tivesse uma suspeita, algo que não quisesse partilhar com Bonnie, caso a esperança se mostrasse falsa.

O discurso de Bonnie foi emocionado na mesma medida em que o de Meredith foi controlado. A voz falhava e ela enxugava continuamente as lágrimas do rosto. Por fim, o reverendo Bethea se aproximou e deu a ela algo branco, um lenço de tecido ou de papel.

— Obrigada — disse Bonnie, enxugando os olhos lacrimosos. Ela tombou a cabeça para trás e olhou o teto, para recuperar a compostura, ou para ter inspiração. Ao fazer isso, Elena viu uma coisa que ninguém ali podia ver: viu a cara de Bonnie perder a cor e a expressão, não como alguém prestes a desmaiar, mas de um jeito que também era muito familiar.

Um arrepio correu pela espinha de Elena. Aqui não. Ah, meu Deus, em qualquer hora ou lugar, menos aqui.

Mas já estava acontecendo. O queixo de Bonnie baixou; ela olhava a congregação novamente. Só que desta vez não parecia ver ninguém e a voz que saiu da garganta não era de Bonnie.

— Ninguém é o que parece. Lembrem-se disso. *Ninguém é o que parece.* — Depois ela ficou parada ali, imóvel, fitando fixamente com os olhos vagos.

As pessoas começaram a se remexer e se olhar. Houve um murmúrio de preocupação.

— Lembrem-se disso... Não se esqueçam... Ninguém é o que parece... — Bonnie se balançou de repente e o reverendo Bethea correu a ela enquanto outro homem se apressava do outro lado. O segundo homem tinha uma careca que agora brilhava de suor — o sr. Newcastle, percebeu Elena. E, no fundo da igreja, correndo pela nave, estava Alaric Saltzman. Ele alcançou Bonnie no momento em que ela desmaiava e Elena ouviu um passo na escada, vindo por trás.

5

r. Feinberg, pensou Elena, desvairada, tentando girar para olhar e ao mesmo tempo se espremer nas sombras. Mas seus olhos não encontraram o semblante pequeno de nariz de falcão do médico. Era um rosto com as feições primorosas de uma moeda ou medalhão romano e olhos de caçador. O tempo parou por um momento e Elena estava nos braços dele.

— Ah, Stefan. Stefan...

Ela sentiu o corpo dele enrijecer de choque. Ele a abraçava mecanicamente, como se ela fosse uma estranha que o tivesse confundido com outra pessoa.

— *Stefan* — disse ela com desespero, enterrando o rosto em seu ombro, tentando ter alguma resposta. Não suportaria que ele a rejeitasse; se ele a odiasse agora, ela *morreria*...

Com um gemido, Elena tentou se aproximar ainda mais dele, querendo se fundir completamente com Stefan, desaparecer dentro dele. Ah, por favor, pensou ela, ah, por favor, por favor...

— Elena. Elena, está tudo bem; estou aqui. — Ele continuou falando com ela, repetindo bobagens sem sentido para acalmá-la, afagando seu cabelo. E ela podia sentir a mudança enquanto os braços de Stefan se estreitavam nela. Ele agora sabia que a abraçava. Pela primeira vez desde que acordou naquele dia, Elena se sentia segura. Ainda assim, muito tempo se passaria até que pudesse relaxar, ainda que por pouco tempo, nos braços dele. Ela não chorava; estava ofegando de pânico.

Por fim, Elena sentiu o mundo começar a se encaixar. Mas não o soltou, ainda não. Simplesmente ficou ali por intermináveis minutos com a cabeça no ombro de Stefan, curtindo o conforto e a segurança de sua presença.

Depois ela levantou a cabeça para olhar nos olhos dele.

Quando pensou em Stefan mais cedo, foi em como ele poderia ajudá-la. Elena pretendia pedir a ele, implorar para salvá-la deste pesadelo, para fazer com que ela voltasse a ser o que era. Mas agora, olhando para ele, sentiu uma estranha resignação desesperada fluir por seu corpo.

— Não se pode fazer nada a respeito disto, não é? — disse ela com muita suavidade.

Ele não fingiu entender mal.

— Não — disse ele, igualmente brando.

Para Elena, foi como se tivesse dado um passo decisivo por uma fronteira invisível em que não havia retorno. Quando conseguiu falar novamente, ela disse:

— Sinto muito pelo modo como agi com você no bosque. Não sei por que fiz aquelas coisas. Lembro de ter feito, mas não me lembro do *porquê*.

— *Você* sente muito? — A voz dele tremia. — Elena, depois de tudo o que fiz com você, tudo o que lhe aconteceu por minha causa... — Ele não conseguiu terminar e os dois se abraçaram com força.

— Mas que comovente — disse uma voz na escada. — Querem que eu imite um violino?

A calma de Elena se desfez e o medo se esgueirou por sua corrente sanguínea. Ela havia se esquecido da intensidade hipnótica de Damon e de seus olhos escuros e ardentes.

— Como chegou aqui? — disse Stefan.

— Imagino que da mesma maneira que você. Atraído pelo farol resplandecente da agonia de Elena. — Damon estava de fato colérico; Elena sabia. Não somente irritado ou incomodado, mas tomado por um calor de pura fúria e hostilidade.

Mas ele a respeitou quando ela estava confusa e irracional. Ele a levou ao abrigo; manteve-a em segurança. E não a beijou enquanto ela estava terrivelmente vulnerável. Ele havia sido totalmente... gentil com ela.

— Aliás, há uma coisa acontecendo lá embaixo — disse Damon.

— Eu sei; é a Bonnie de novo — disse Elena, soltando Stefan e recuando.

— Não foi isso que eu quis dizer. Lá fora.

Sobressaltada, Elena o seguiu até a primeira curva da escada, onde havia uma janela que dava para o estacionamento. Ela sentiu Stefan atrás de si enquanto olhava a cena abaixo.

Uma multidão tinha saído da igreja, mas estava parada em uma falange compacta na beira do estacionamento, sem avançar. Na frente deles, no estacionamento, havia um grupo igualmente grande de cães.

Pareciam dois exércitos se encarando. O aspecto sinistro, porém, era que os dois grupos estavam absolutamente imóveis. As pessoas pareciam estar paralisadas de desconforto e os cães pareciam esperar alguma coisa.

De início, Elena viu que os cães eram de raças diferentes. Havia cachorros pequenos como corgis de cara afilada, terriers castanhos e pretos, e um lhasa apso com pelos dourados e longos. Havia cães de porte médio como springer spaniels ingleses e airedales terrier, e um lindo samoieda branco. E os cães grandes: um rottweiler de peito largo e rabo cortado, um wolfhound irlandês cinza que arfava e um shnauzer gigantesco, inteiramente preto. Depois Elena começou a reconhecê-los individualmente.

— Ali estão o boxer do sr. Grunbaum e o pastor alemão dos Sullivan. Mas o que há com eles?

As pessoas, antes inquietas, agora estavam assustadas. Ficaram ombro a ombro, ninguém queria sair da linha de frente e se aproximar dos animais.

E no entanto os cães não estavam *fazendo* nada, só sentados ou de pé, alguns com a língua pendendo delicadamente. Mas

64 ✦ *Diários do Vampiro – A Fúria*

tanta imobilidade era muito estranho, pensou Elena. O menor movimento, como o mais leve balançar do rabo ou das orelhas, parecia exagerado. E não havia rabos abanando, nenhum sinal de amizade. Apenas... esperavam.

Robert foi para a parte de trás da multidão. Elena ficou surpresa ao vê-lo, mas por um momento não conseguiu entender o motivo. Depois percebeu que era porque ele não estivera na igreja. Enquanto ela olhava, ele se afastou mais do grupo, desaparecendo sob o ressalto abaixo de Elena.

— Chelsea! Chelsea...

Alguém enfim se adiantou da linha de frente. Era Douglas Carson, percebeu Elena, irmão mais velho e casado de Sue Carson. Entrou na terra-de-ninguém entre os cães e as pessoas, com uma mão ligeiramente estendida.

Uma springer spaniel de orelhas longas como cetim castanho virou a cabeça. Seu toco branco de rabo tremeu um pouco, indagativo, e o focinho castanho e branco se ergueu. Mas não foi ao encontro do jovem.

Doug Carson deu outro passo.

— Chelsea... Boa menina. Vem cá, Chelsea. Vem! — Ele estalou os dedos.

— O que você acha que são estes cães aqui embaixo? — murmurou Damon.

Stefan sacudiu a cabeça sem desviar os olhos da janela.

— Nada — disse ele rispidamente.

— Nem eu. — Os olhos de Damon estavam semicerrados, a cabeça tombada criticamente para trás, mas os dentes um tanto expostos lembraram Elena do wolfhound irlandês. — Mas nós *devíamos* entender. Eles devem ter algumas emoções que possamos captar. Em vez disso, sempre que tento sondá-los é como dar numa muralha branca.

Elena gostaria de saber do que eles falavam.

— O que quer dizer com "sondá-los"? — disse ela. — Eles são animais.

— As aparências enganam. — disse Damon ironicamente e Elena pensou nas luzes do arco-íris das penas do corvo que a seguia desde o primeiro dia de aula. Se olhasse mais de perto, veria aquelas mesmas luzes do arco-íris no cabelo sedoso de Damon. — Mas os animais têm emoções e, se os seus Poderes forem suficientemente fortes, você consegue examinar a mente deles.

E meus Poderes não são fortes, pensou Elena. Ela ficou assustada com a pontada de inveja que a tomou. Apenas alguns minutos atrás estava agarrada a Stefan, frenética para se livrar de qualquer Poder que tivesse, para se transformar e *voltar* ao que era antes. E agora queria ser ainda mais forte. Damon sempre exercia um estranho efeito sobre ela.

— Posso não conseguir sondar Chelsea, mas não acho que Doug deva chegar mais perto — disse ela em voz alta.

Stefan estivera olhando fixamente pela janela, as sobrancelhas unidas. Agora assentiu uma fração, mas com uma súbita urgência.

— Nem eu — disse ele.

— Vem, Chelsea, seja boazinha. Vem cá. — Doug Carson se aproximava da fila de cães. Todos os olhos, humanos e ca-

66 ✦ *Diários do Vampiro – A Fúria*

ninos, estavam fixos nele, e até os menores movimentos tinham cessado. Se não tivesse visto as laterais de um ou dois cães esvaziarem e se encherem de ar ao respirarem, Elena pensaria que todo o grupo era uma exposição gigantesca de museu.

Doug parou. Chelsea o olhava de trás do corgi e do samoiedo. Doug estalou a língua. Ele estendeu a mão, em seguida a esticou um pouco mais.

— Não — disse Elena. Ela olhava os flancos reluzentes do rottweiler. Esvaziando e enchendo, esvaziando e enchendo. — Stefan, influencie-o. Tire-o dali.

— Sim. — Ela podia ver os olhos dele perderem o foco de concentração; depois ele sacudiu a cabeça, expirando como uma pessoa que tentou levantar algo pesado demais. — Isso não é nada bom; estou esgotado. Não consigo fazer mais nada.

Abaixo, os lábios de Chelsea recuaram sobre os dentes. O airedale terrier vermelho-dourado se colocou de pé em um movimento lindamente suave, como que puxado por cordas. A traseira do rottweiler arriou.

E eles atacaram. Elena não pôde ver qual dos cães foi o primeiro; pareciam avançar juntos, como uma grande onda. Meia dúzia de cães atingiu Doug Carson com força suficiente para derrubá-lo de costas e fazer com que ele desaparecesse sob a massa de animais.

O ar se encheu de um barulho infernal, de um ladrar metálico, que tiniu nas vigas da igreja e provocou uma dor de cabeça instantânea em Elena, e um rosnado gutural e contínuo que ela conseguiu mais sentir do que ouvir propriamente. Os cães rasgavam roupas, rangiam os dentes, lançavam-se, enquanto a multidão se espalhava e gritava.

Elena avistou Alaric Saltzman na beira do estacionamento, o único que não estava fugindo. Estava rigidamente parado e ela pensou ver seus lábios se mexendo, além de suas mãos.

Era um pandemônio em toda parte. Alguém pegara uma mangueira e a jogava no meio do bando de cães. Mas não surtia efeito. Eles pareciam enlouquecidos. E quando Chelsea levantou o focinho castanho e branco do corpo de seu dono, pôde-se notar que ele estava tingido de vermelho.

O coração de Elena martelava tanto que ela mal conseguia respirar.

— Eles precisam de ajuda! — disse ela, assim que Stefan se afastou da janela e desceu a escada de três em três degraus. Elena parou na metade da escada quando percebeu duas coisas: Damon não a seguira e ela não podia deixar que a vissem.

Ela *não podia*. O caos que isso provocaria, as perguntas, o medo e o ódio depois que as perguntas fossem respondidas. Algo que corria mais fundo do que a compaixão, a solidariedade ou a necessidade de ajudar a fez voltar, apoiando-se na parede.

No interior escuro e frio da igreja, ela percebeu um alvoroço. As pessoas corriam de um lado a outro, gritando, o dr. Feinberg, o sr. McCullough, o reverendo Bethea. O ponto imóvel do círculo era Bonnie, deitada num banco com Meredith, a tia Judith e a sra. McCullough debruçadas sobre ela.

68 ✦ *Diários do Vampiro – A Fúria*

"Uma coisa maligna", ela gemia, depois a cabeça de tia Judith se levantou, virando-se na direção de Elena.

Elena subiu a escada o mais rápido que pôde, rezando para que a tia não a tivesse visto. Damon estava na janela.

— Não posso descer lá. Eles acham que estou morta!

— Ah, então se lembra disso. Que bom para você.

— Se o dr. Feinberg me examinar, vai saber que há algo errado. Não vai? — perguntou ela, furiosa.

— Ele vai pensar que você é um espécime interessantíssimo.

— Então não posso ir. Mas você pode. Por que não *faz* alguma coisa?

Damon continuava a olhar pela janela, de sobrancelhas erguidas.

— Por quê?

— *Por quê?* — O alarme e o nervosismo extremo de Elena chegaram ao limite e ela quase bateu nele. — Porque eles precisam de ajuda! Porque você *pode* ajudar. Não se importa com nada além de si mesmo?

Damon usava sua máscara mais impenetrável, a expressão de exploração educada que assumiu quando se convidou a entrar na casa de Elena para jantar. Mas ela sabia que por baixo ele tinha raiva, raiva por flagrá-la com Stefan. Ele a importunava de propósito e com um prazer selvagem.

E ela não conseguia reprimir a própria reação de raiva frustrada e impotente. Partiu para cima de Damon e ele a pegou pelos pulsos e a segurou, os olhos cravados nos dela. Elena ficou assustada por ouvir o som que saía dos próprios lábios; era um silvo que mais parecia felino do que humano. Ela percebeu que seus dedos agora eram garras.

O que estou fazendo? Atacando-o porque ele não defende as pessoas contra os cães que estão atacando *a elas*? Que sentido isso faz? Respirando com dificuldade, ela relaxou as mãos e molhou os lábios. Ele recuou e a soltou.

Passou-se um longo momento enquanto eles se olharam.

— Vou descer — disse Elena em voz baixa e se virou.

— Não.

— Eles precisam de ajuda.

— Tudo bem, então, que se dane. — Ela nunca ouvira a voz de Damon tão baixa, nem tão furiosa. — Eu vou... — Ele se interrompeu e Elena, virando-se rapidamente, viu Damon bater o punho no peitoril da janela, espatifando o vidro. Mas a atenção dele estava lá fora e sua voz perfeitamente composta de novo quando ele disse secamente: — Chegou a ajuda.

Eram os bombeiros. As mangueiras deles eram muito mais potentes do que as do jardim, e os jatos de água impeliram os cães com força. Elena viu um xerife com uma arma e mordeu o interior da bochecha enquanto ele mirava e apertava o gatilho. Houve um estampido e o schnauzer gigante arriou. O xerife mirou de novo.

Terminou rapidamente depois disso. Vários cães já corriam do bombardeio de água e outros se separaram do bando e foram para a margem do estacionamento com o segundo estampido da pistola. Era como se o propósito que os impelira tivesse libertado a todos no mesmo instante. Elena sentiu uma

70 ✦ *Diários do Vampiro – A Fúria*

golfada de alívio ao ver Stefan incólume no meio da balbúrdia, atirando um golden retriever de olhar atônito para longe do corpo de Doug Carson. Chelsea se afastou do dono e então o encarou, baixando a cabeça e o rabo.

— Acabou — disse Damon. Ele não parecia muito interessado, mas Elena olhou para ele incisivamente. Então tudo bem, que se dane, eu vou *o quê*? O que ela teria de dizer? Ele não estava com humor para falar com ela, mas Elena estava disposta a pressioná-lo.

— Damon... — Ela apoiou a mão no braço dele.

Ele enrijeceu, depois se virou.

— Sim?

Por um segundo eles se fitaram, depois ouviram passos na escada. Stefan tinha voltado.

— Stefan... está ferido — disse ela, piscando, desorientada de repente.

— Eu estou bem. — Ele limpou o sangue do rosto com a manga rasgada.

— E Doug? — perguntou Elena, engolindo em seco.

— Não sei. Está *bem* machucado. Um monte de gente está. Foi a coisa mais estranha que já vi.

Elena se afastou de Damon, subindo a escada para a galeria do coro. Sentia que precisava pensar, mas sua cabeça latejava. A coisa mais estranha que Stefan já viu... Isso dizia muito. Algo estranho em Fell's Church.

Ela chegou à parede atrás da última fila de bancos e pôs a mão ali, deslizando até se sentar no chão. As coisas pareciam ao mesmo tempo confusas e assustadoramente claras. Algo estranho em Fell's Church. No Dia dos Fundadores, ela teria jurado que não dava a mínima para Fell's Church ou para as pessoas de lá. Mas agora sabia que não era assim. Olhando o serviço fúnebre, ela começara a pensar que talvez *se importasse de verdade*. E depois, quando os cães atacaram, ela entendeu. De certa forma se sentia responsável pela cidade, de uma maneira que nunca sentiu na vida.

Por ora, toda a desolação e solidão que sentia anteriormente foram deixadas de lado. Havia algo mais importante do que seus próprios problemas. E ela se prendeu a esse algo, porque a verdade era que não conseguia lidar com a situação em que se encontrava, não, Elena não podia verdadeiramente...

Ela ouviu o soluço ofegante que soltou e levantou a cabeça, vendo Stefan e Damon na galeria, olhando-a. Elena sacudiu levemente a cabeça, colocando a mão ali, como se estivesse saindo de um sonho.

— Elena...?

Era Stefan que falava, mas ela se voltou para o outro.

— Damon — disse ela com a voz trêmula —, se eu lhe perguntar uma coisa, vai me dizer a verdade? Sei que você não me perseguiu na ponte Wickery. Eu podia *sentir* o que era, e era algo diferente. Mas quero saber o seguinte: foi você que afundou Stefan no poço antigo dos Francher há um mês?

— Num *poço*? — Damon se encostou na parede oposta, de braços cruzados. Parecia educadamente incrédulo.

— Na noite de Halloween, a noite em que o sr. Tanner foi morto. Depois que você apareceu pela primeira vez para Stefan no bosque. Ele me disse que deixou você na clareira e foi andando até o carro, mas que alguém o atacou antes de ele chegar lá. Quando voltou a si, estava preso no poço e teria morrido se Bonnie não nos levasse até lá. Eu sempre achei que foi você que o atacou. *Ele* sempre achou que foi você. Mas realmente foi?

Os lábios de Damon se torceram, como se ele não gostasse da intensidade exigente da pergunta. Ele olhou de Elena para Stefan com os olhos encobertos e com escárnio. O instante se estendeu até que Elena teve de cravar as unhas nas palmas das mãos, tal a tensão. Depois Damon deu levemente de ombros e olhou à meia distância.

— Na realidade, não — disse ele.

Elena soltou o ar que prendia.

— Não pode acreditar nisso! — Stefan explodiu. — Não pode acreditar em nada do que ele diz.

— Por que eu mentiria? — retorquiu Damon, claramente gostando da perda de controle de Stefan. — Admito tranquilamente ter matado Tanner. Bebi o sangue dele até ele murchar feito uma ameixa. E não me importaria de fazer o mesmo com *você*, irmão. Mas um *poço*? Não faz o meu gênero.

— Eu acredito em você — disse Elena. A mente disparando em pensamentos. Ela se virou para Stefan. — Não sente isso? Há algo aqui em Fell's Church, que talvez nem seja humano... Que talvez não tenha sido humano, quer dizer. Algo que me perseguiu, forçou meu carro para fora da ponte. Algo que fez os cães atacarem as pessoas. Uma força terrível que está aqui, alguma coisa maligna... — Sentiu a voz falhar e então olhou o interior da igreja onde tinha visto Bonnie deitada. — Alguma coisa maligna... — repetiu ela suavemente. Um vento frio pareceu soprar dentro dela e ela se abraçou, sentindo-se vulnerável e sozinha.

— Se está procurando pelo mal — disse Stefan rispidamente —, não precisa olhar tão longe.

— Não seja mais idiota do que pode evitar — disse Damon. — Eu lhe disse dias atrás que outra pessoa tinha matado Elena. E eu disse que ia descobrir esse alguém e cuidar dele. E eu vou fazer isso. — Ele descruzou os braços e endireitou o corpo. — Vocês dois podem continuar a conversa particular que estavam tendo quando eu os interrompi.

— Damon, espere. — Elena não conseguiu evitar o tremor que tomou conta dela quando ele disse *matado*. Não posso ter sido morta; ainda estou aqui, pensou ela, sentindo o pânico tomar a garganta. Mas agora deixou o pânico de lado para falar com Damon. — O que quer que seja essa coisa, é forte — disse ela. — Pude senti-la quando estava atrás de mim, e parecia preencher todo o céu. Não acho que nenhum de nós, sozinho, teria alguma chance contra ela.

— E daí?

— Daí que... — Elena não teve tempo para levar o raciocínio tão longe. Ela seguia puramente por instinto, por intuição. E sua intuição dizia para não deixar Damon ir. — Daí que... acho que nós três precisamos ficar juntos. Acho que temos uma chance muito maior de descobrir e lidar com a coisa juntos, e não separados. E talvez possamos impedi-la antes que machuque... ou mate... mais alguém.

— Francamente, minha cara, não dou a mínima para mais ninguém — disse Damon de um jeito charmoso. Depois deu um de seus sorrisos gélidos e fugazes. — Mas está sugerindo que é esta sua decisão? Lembre-se, concordamos que você tomaria uma quando estivesse mais racional.

Elena o fitou. É claro que não era opção dela, se ele pretendia dizer no sentido amoroso. Ela estava com o anel que ganhara de Stefan; ela e Stefan pertenciam um ao outro.

Mas depois Elena se lembrou de outra coisa, como um clarão: observando o rosto de Damon no bosque, sentiu tanta excitação, tanta afinidade. Como se ele entendesse a chama que ardia dentro dela como ninguém mais entenderia. Como se juntos eles pudessem fazer o que quisessem, conquistar o mundo ou destruí-lo; como se os dois fossem melhores do que qualquer outro que tivesse vivido.

Eu estava fora do meu juízo perfeito, irracional, disse ela a si mesma, mas esse lampejo de memória não desapareceu.

E então ela se lembrou de ainda outra coisa: a maneira como Damon agira naquela mesma noite, como ele a manteve em segurança, e como fora gentil com ela.

Stefan a olhava e sua expressão mudara da beligerância para a raiva amargurada e o medo. Parte dela queria tranquilizá-lo inteiramente, atirar-se nele e dizer que ela era dele e sempre seria, que nada mais importava. Nem a cidade, nem Damon, nem nada.

Mas Elena não ia fazer isso. Porque outra parte dela dizia que a cidade *importava*. E porque a outra parte era terrivelmente confusa. Tão confusa...

Ela sentiu um tremor começar por dentro, do âmago, depois descobriu que não conseguia reprimi-lo. Sobrecarga emocional, pensou ela, e pôs a cabeça entre as mãos.

6

Ela já tomou uma decisão. Você viu por si mesmo quando nos "interrompeu". Você já decidiu, não foi, Elena? — disse Stefan não de um jeito presunçoso, nem exigente, mas com uma espécie de vanglória desesperada.

— Eu... — Elena levantou a cabeça. — Stefan, eu te amo. Mas você não entende, já que tenho de decidir agora, decido que todos nós fiquemos juntos. Só por enquanto. Você *entende*? — Vendo apenas frieza no rosto de Stefan, ela se virou para Damon. — E você?

— Acho que sim. — Ele deu para ela seu sorriso secreto e possessivo. — Desde o início, eu disse a Stefan que ele era egoísta por não compartilhar você. Os irmãos devem dividir as coisas, sabe como é.

— Não foi o que eu quis dizer.

— Não? — Damon sorriu novamente.

— Não — disse Stefan. — *Eu* não entendo e não vejo como você pode me pedir para trabalhar com *ele*. Ele é cruel, Elena. Ele mata por prazer; não tem consciência alguma. Não se importa com Fell's Church; ele mesmo disse isso. É um monstro...

— Neste momento ele está sendo mais cooperativo do que você — disse Elena. Ela estendeu a mão para Stefan, procurando uma maneira de atingi-lo. — Stefan, eu *preciso* de você. E nós dois precisamos dele. Não pode tentar aceitar isso? — Como Stefan não respondeu, ela acrescentou: — Stefan, você realmente quer ser inimigo mortal do seu irmão para sempre?

— E você realmente acha que *ele* quer outra coisa?

Elena olhou as mãos unidas, vendo a superfície plana, as curvas e sombras. Ela hesitou responder por um minuto e, quando finalmente o fez, foi num tom de voz baixo e vagaroso.

— Ele me impediu de matar você — disse ela.

Elena sentiu o clarão da raiva defensiva de Stefan emergir, depois a sentiu diminuir. Algo como a derrota se esgueirava por Stefan e ele baixou a cabeça.

— É verdade — disse ele. — De qualquer maneira, quem sou eu para chamá-lo de cruel? O que ele fez que eu mesmo não teria feito?

Precisamos conversar, pensou Elena, detestando este ódio que ele tinha por si mesmo. Mas não era hora nem lugar para isso.

— Então você concorda? — disse ela, hesitante. — Stefan, diga o que está pensando.

— Neste momento estou pensando que você sempre consegue o que quer. É tudo sempre do seu jeito, não é, Elena?

Ela o fitou nos olhos, percebendo que as pupilas estavam tão dilatadas que somente um anel de íris verde aparecia na borda. Não havia mais raiva ali, apenas cansaço e amargura.

Mas não estou fazendo isso por mim, pensou ela, varrendo de sua mente a onda repentina de dúvida pessoal. Vou provar a você, Stefan; você verá. Pela primeira vez não estou fazendo uma coisa para minha própria conveniência.

— Então você concorda? — continuou ela em voz baixa.

— Sim. Eu... concordo.

— E *eu* concordo — disse Damon enquanto estendia a mão numa cortesia exagerada. Ele pegou a de Elena antes que ela pudesse dizer alguma coisa. — Na realidade, parece que todos estamos num frenesi de puro entendimento.

Não, pensou Elena, mas neste momento, no crepúsculo frio da galeria do coro, ela sentiu que era verdade, eles três estavam conectados, em harmonia, e eram fortes.

E então Stefan afastou a mão. No silêncio que se seguiu, Elena podia ouvir o barulho do lado de fora e na igreja. Ainda havia choro e gritos ocasionais, mas a urgência geral passara. Olhando pela janela ela viu pessoas andando pelo estacionamento encharcado entre os pequenos grupos que se debruçavam sobre as vítimas feridas. O dr. Feinberg ia de um canto ao outro, aparentemente dando conselhos médicos. As vítimas pareciam sobreviventes de um furacão ou de um terremoto.

— Ninguém é o que parece — disse Elena.

— O quê?

— Foi o que Bonnie disse durante o funeral. Ela teve outro daqueles ataques. Acho que pode ser importante. — Ela tentou organizar os pensamentos. — Acho que tem gente na cidade que devíamos investigar. Como Alaric Saltzman. — Ela lhes contou brevemente o que tinha entreouvido naquele dia no sótão. — *Ele* não é o que parece, mas não sei exatamente o que é. Acho que devemos observá-lo. E como eu obviamente não posso aparecer em público, vocês dois terão de fazer isso. Mas não podem deixar que ele desconfie de nada... — Elena se interrompeu enquanto Damon ergueu a mão subitamente.

Ao pé da escada, uma voz chamava.

— Stefan? Está aí em cima? — Depois, a outra pessoa: — Pensei ter visto você subir.

Parecia o sr. Carson.

— Vá — sibilou Elena quase inaudível para Stefan. — Tem de ser o mais normal possível, assim pode ficar em Fell's Church. Eu vou ficar bem.

— Mas para onde *você* vai?

— Para a casa de Meredith. Depois eu explico. Vá.

Stefan hesitou e partiu escada abaixo, dizendo, "Estou indo". Depois recuou.

— Não vou deixar você com *ele* — disse Stefan categoricamente.

Elena levantou as mãos, exasperada.

— Então vão os dois. Vocês acabaram de concordar em trabalhar juntos; vão voltar atrás agora? — Ela perguntou a Damon, que parecia não estar disposto a ceder.

80 ✦ *Diários do Vampiro – A Fúria*

Ele deu de ombros levemente.

— Tudo bem. Só uma coisa... Está com fome?

— Eu... não. — Com o estômago agitado, Elena entendeu o que ele perguntava. — Não, nem um pouco.

— Que bom. Mas ficará, mais tarde. Lembre-se disso. — Ele se espremeu por Stefan na escada, angariando um olhar cáustico. Mas Elena ouviu a voz de Stefan em sua mente enquanto os dois desapareciam.

Encontro você mais tarde. Espere por mim.

Elena queria poder responder com os próprios pensamentos. Ela também percebeu uma coisa. A voz mental de Stefan estava muito mais fraca do que quatro dias atrás, quando ele lutou com o irmão. Pensando bem, ele não conseguira falar com a mente antes, na comemoração do Dia dos Fundadores. Ela ficou tão confusa quando acordou perto do rio que não pensou em nada na hora, mas agora refletia. O que houve para que ele ficasse tão forte? E por que a força dele agora sumia?

Elena teve tempo para pensar nisso enquanto ficava sentada ali na galeria deserta do coro da igreja, enquanto as pessoas lá embaixo deixavam a igreja e o céu nublado aos poucos escurecia. Ela pensou em Stefan, em Damon, e se perguntou se tomou a decisão certa. Jurou que nunca mais deixaria que eles brigassem, mas esse juramento já fora quebrado antes. Seria pedir demais que eles vivessem uma trégua, mesmo que temporária?

Quando o céu ficou uniformemente escuro, ela se arriscou a descer a escada. A igreja estava vazia e ecoava. Elena não pensou em como sairia dali, mas felizmente a porta lateral só estava trancada por dentro. Ela saiu para a noite, agradecida.

Elena não tinha percebido como era bom ficar ao ar livre no escuro. Ficar dentro de construções a fazia se sentir presa e a luz do dia doía em seus olhos. Isto era melhor, livre, sem restrições — e sem ser vista. Os sentidos de Elena se alegraram com o mundo exuberante ao redor. Com o ar tão imóvel, os cheiros pendiam por muito tempo e ela podia sentir toda uma pletora de criaturas noturnas. Uma raposa procurava comida numa lixeira. Os ratos mastigavam alguma coisa nos arbustos. Mariposas chamavam-se com o cheiro.

Ela descobriu que não era difícil chegar à casa de Meredith sem ser detectada; as pessoas pareciam estar dentro de casa. Mas depois que chegou lá, ficou olhando desanimada a graciosa casa de fazenda com a varanda telada. Não podia simplesmente se aproximar da porta da frente e bater. Será que Meredith estava realmente esperando por isso? Ela não estaria lá fora, se assim fosse?

Meredith teria um choque terrível se *não* a estivesse esperando, refletiu Elena, olhando a distância para o telhado da varanda. A janela do quarto de Meredith ficava acima, depois da curva da casa. Seria meio fora de alcance, mas Elena calculou que conseguiria.

Foi fácil chegar ao telhado; seus dedos e os pés descalços encontraram frestas entre os tijolos e a impeliram para cima. Mas se pendurar no canto da janela para olhar pela janela de Meredith foi um esforço e tanto. Ela piscou diante da luz que vinha lá de dentro.

82 ✦ *Diários do Vampiro – A Fúria*

Meredith estava sentada na beira da cama, os cotovelos nos joelhos, olhando o vazio. De vez em quando passava a mão no cabelo preto. Um relógio na mesa de cabeceira marcava 6:43.

Elena bateu as unhas na janela.

Meredith deu um salto e olhou para o lado errado, para a porta. Ficou agachada numa posição defensiva, agarrando uma almofada. Como a porta não se abriu, ela deu um passo ou dois para lá, ainda na defensiva.

— Quem é? — disse ela.

Elena bateu no vidro novamente.

Meredith girou para olhar a janela, a respiração se acelerando.

— Me deixe entrar — disse Elena. Ela não sabia se Meredith podia ouvi-la, então anunciou com clareza. — Abra a janela.

Meredith, ofegante, olhou o quarto como se esperasse que alguém aparecesse para ajudá-la. Como ninguém apareceu, aproximou-se da janela como se esta fosse um animal perigoso. Mas não a abriu.

— Me deixe *entrar* — disse Elena de novo. Depois acrescentou, com impaciência: — Se não queria que eu viesse, por que marcou comigo?

Ela viu o exato momento em que os ombros de Meredith relaxaram um pouco. Devagar, com dedos que eram anormalmente desajeitados, Meredith abriu a janela e recuou.

— Agora me convide para entrar. Se não, não poderei.

— En... — A voz de Meredith falhou e ela teve de tentar novamente. — Entre — disse ela. Quando Elena, estremecendo, se içou sobre o peitoril e flexionou os dedos doloridos, Meredith acrescentou, quase perplexa: — Tinha que ser você. Ninguém mais dá ordens desse jeito.

— Sou eu — disse Elena. Ela parou de flexionar os dedos e olhou nos olhos da amiga. — Sou eu mesma, Meredith — disse ela.

Meredith assentiu e engoliu em seco. Naquele momento, o que Elena mais teria gostado no mundo seria um abraço da amiga. Mas Meredith não era do tipo de abraçar, e agora recuava lentamente para se sentar na cama de novo.

— Sente-se — disse ela numa voz artificialmente calma. Elena puxou a cadeira da escrivaninha e sem pensar assumiu a posição anterior de Meredith, com os cotovelos nos joelhos, a cabeça baixa. Depois ergueu a cabeça.

— Como você soube?

— Eu... — Meredith só a olhou por um instante, depois se sacudiu. — Bom. Você... Seu corpo não foi encontrado, é claro. Isso era estranho. E depois aqueles ataques ao velho, a Vickie e Tanner... E Stefan e as coisinhas que consegui saber sobre ele... Mas eu não *sabia*. Não tinha certeza. Agora tenho — ela terminou quase num sussurro.

— Bom, adivinhou bem — disse Elena. Ela tentava se comportar normalmente, mas o que havia de normal nesta situação? Meredith agia como se mal pudesse olhar para ela. Isso fez com que Elena se sentisse mais solitária, mais sozinha do que nunca.

Uma campainha soou no primeiro andar. Elena a ouviu, mas sabia que Meredith não escutara nada.

— Quem está vindo aqui? — disse ela. — Tem alguém na porta.

84 ✦ *Diários do Vampiro – A Fúria*

— Pedi a Bonnie para vir às sete horas, se a mãe dela deixasse. Deve ser ela. Vou ver. — Meredith parecia quase desesperadamente ansiosa para sair dali.

— Espere. *Ela* sabe?

— Não... hum, quer dizer, eu preciso contar a ela com delicadeza. — Meredith olhou o quarto novamente, insegura, e Elena acendeu a pequena luminária perto da cama.

— Apague a luz do quarto. Meus olhos doem, de qualquer maneira — disse ela em voz baixa. Quando Meredith obedeceu, o quarto ficou escuro o bastante para ela se esconder nas sombras.

Esperando que Meredith voltasse com Bonnie, Elena se escondeu num canto, abraçando os cotovelos com as mãos. Talvez fosse má ideia tentar envolver Meredith e Bonnie. Se a imperturbável Meredith não conseguia lidar com a situação, será que Bonnie conseguiria?

Meredith anunciou a recém-chegada murmurando sem parar, "Não grite agora; *não grite*", enquanto conduzia Bonnie pela soleira da porta.

— Qual é o seu *problema*? O que está *fazendo*? — Bonnie ofegou em resposta. — Me solta. Sabe o que tive que fazer para minha mãe me deixar sair de casa hoje? Ela queria me levar ao hospital em Roanoke.

Meredith fechou a porta.

— Tudo bem — disse ela a Bonnie. — Agora você vai ver uma coisa que vai... Bom, vai ser um choque. Mas não pode gritar, entendeu? Vou te soltar se me prometer isso.

— Está escuro demais para ver alguma coisa e você está me assustando. Qual é o seu *problema*, Meredith? Ah, tá legal, eu prometo, mas do que você está falando...

— Elena — disse Meredith. Elena tomou isto como um convite e avançou um passo.

Ela não esperava por aquela reação de Bonnie. Ela franziu a testa e se inclinou para frente, espiando na luz fraca. Quando viu a silhueta de Elena, Bonnie arfou. Mas depois, ao olhar Elena no rosto, ela bateu palmas com um gritinho de alegria.

— Eu sabia! Eu sabia que eles estavam errados! Aí está, Meredith... E você e Stefan pensaram que sabiam tudo sobre afogamento... Mas eu sabia que vocês estavam errados! Ah, Elena, senti tanto a sua falta! Todo mundo vai ficar tão...

— *Silêncio*, Bonnie! Silêncio! — disse Meredith com urgência. — Eu disse pra não gritar. Escute, sua idiota, acha que se Elena estivesse mesmo bem, ela estaria *aqui* no meio da noite sem ninguém saber disso?

— Mas ela *está* bem; olhe para ela. Está parada ali. É você, não é, Elena? — Bonnie partiu para ela, mas Meredith a segurou novamente.

— Sim, sou eu. — Elena tinha a estranha sensação de que vagava por uma comédia surreal, talvez escrita por Kafka, só que ela não conhecia as falas. Não sabia o que dizer a Bonnie, que a olhava em êxtase. — Sou eu, mas... Não está exatamente tudo bem — disse ela sem jeito, sentando-se novamente. Meredith cutucou Bonnie para se sentar na cama.

— Por que estão fazendo tanto mistério? Ela está aqui, mas não está tudo bem. O que isso quer dizer?

86 ✦ *Diários do Vampiro – A Fúria*

Elena não sabia se ria ou chorava.

— Olha, Bonnie... Ai, não sei como dizer isso. Bonnie, sua avó vidente já falou alguma vez sobre vampiros?

O silêncio caiu pesado como um machado. Os minutos se passaram. Os olhos de Bonnie se arregalaram ainda mais, o que parecia impossível; depois resvalaram para Meredith. Houve vários minutos de silêncio, em seguida Bonnie mudou o peso do corpo para a porta.

— Er, olha, gente — disse ela com brandura —, isso está ficando muito esquisito. Quer dizer, esquisito de verdade...

Elena refletiu.

— Pode olhar meus dentes — disse ela. Ela repuxou o lábio superior, futucando um canino com o dedo. Sentiu o alongamento e afilamento reflexivo, como a garra de um gato se estendendo devagar.

Meredith se aproximou e olhou, depois virou o rosto rapidamente.

— Entendi seu argumento — disse ela, mas a voz não demonstrava o antigo prazer com sua perspicácia. — Bonnie, olhe — disse ela.

Toda a euforia, toda a excitação tinham esgotado Bonnie. Ela parecia prestes a vomitar.

— Não. Não quero.

— Tem que olhar. Precisa acreditar, ou não vamos chegar a parte alguma. — Meredith tentava arrastar uma Bonnie rígida e resistente. — Abra os olhos, boboca. Não é você que adora essas histórias sobrenaturais?

— Eu mudei de *ideia* — disse Bonnie, quase chorando. Havia um desespero genuíno em seu tom de voz. — Me deixe em *paz*, Meredith; não *quero* olhar. — Ela se encolheu, tentando se afastar.

— Não precisa fazer isso — sussurrou Elena, atônita. O desânimo se acumulava dentro dela e as lágrimas tomaram seus olhos. — Foi uma má ideia, Meredith. Eu vou embora.

— *Não*. Ah, não vá. — Bonnie se virou com tanta rapidez que rodou e se precipitou para os braços de Elena. — Desculpe, Elena; desculpe. Eu não me importo com o que você é; só estou feliz por ter voltado. Foi horrível sem você. — Ela agora chorava abertamente.

As lágrimas que não vieram quando Elena estava com Stefan saíram agora. Ela chorou, abraçada a Bonnie, sentindo os braços de Meredith se fecharem nas duas. Todas choravam — Meredith em silêncio, Bonnie ruidosamente e Elena com uma intensidade apaixonada. Parecia que estava chorando por tudo o que acontecera, por tudo o que perdera, por toda a solidão, medo e dor.

Por fim, todas terminaram sentando-se no chão, joelhos contra joelhos, como faziam quando eram crianças e tramavam planos secretos numa festinha de pijama.

— Você é tão corajosa — disse Bonnie a Elena, fungando. — Não sei como pode ser tão corajosa com isso.

— Você não sabe como me sinto por dentro. Não sou nada corajosa. Mas tenho que lidar com isso de alguma maneira, porque não sei mais o que fazer.

88 ✦ *Diários do Vampiro – A Fúria*

— Suas mãos não são geladas. — Meredith apertou os dedos de Elena. — Só um pouquinho. Pensei que ficariam mais frias.

— As mãos de Stefan também não são geladas — disse Elena e estava prestes a continuar, mas Bonnie soltou um guincho.

— *Stefan?*

Meredith e Elena olharam para ela.

— Tenha sensibilidade, Bonnie. Ninguém consegue ser vampira sozinha. Alguém tem que transformar o outro.

— Mas então *Stefan*...? Quer dizer que ele é...? — A voz de Bonnie ficou sufocada.

— Eu acho — disse Meredith — que talvez seja a hora de nos contar toda a história, Elena. Tipo todos aqueles detalhes mínimos que você deixou de fora na última vez em que pedimos a história toda.

Elena assentiu.

— Tem razão. É difícil de explicar, mas vou tentar. — Ela respirou fundo. — Bonnie, lembra do primeiro dia de aula? Foi a primeira vez que soube que você faz profecias. Você olhou a palma da minha mão e disse que eu ia conhecer um garoto, de cabelos castanhos, estrangeiro. E que ele não era alto, mas *tinha* sido. Bom... — Ela olhou para Bonnie e depois para Meredith. — Stefan agora não é alto. Mas antigamente era... Comparado com outras pessoas do século XV.

Meredith assentiu, mas Bonnie soltou um som fraco e se balançou para trás, parecendo chocada.

— Quer dizer...

— Quero dizer que ele viveu na Itália renascentista e a maioria das pessoas era mais baixa que ele na época. Assim, Stefan era mais alto, comparativamente. E, calma, antes que você desmaie, tem outra coisa que devia saber. Damon é irmão dele.

Meredith assentiu de novo.

— Eu imaginei algo assim. Mas por que Damon ficou dizendo que é universitário?

— Eles não se entendem muito bem. Por muito tempo, Stefan nem sabia que Damon estava em Fell's Church. — Elena se interrompeu. Estava entrando na história pessoal de Stefan, que sempre achou que era um segredo *dele*. Mas Meredith tinha razão; era hora de contar tudo. — Escutem, foi o seguinte — disse ela. — Stefan e Damon estavam apaixonados pela mesma mulher na Itália renascentista. Ela era da Alemanha e o nome dela era Katherine. O motivo para Stefan me evitar no começo das aulas era que eu o lembrava dela; ela também era loura e tinha olhos azuis. Ah, e esse era o anel dela. — Elena soltou a mão de Meredith e mostrou a elas o anel de ouro com entalhes complexos e uma pedra solitária de lápis-lazúli.

— E por acaso Katherine era vampira. Um cara chamado Klaus a transformou na aldeia que ela vivia na Alemanha para que ela não morresse de uma doença terminal. Stefan e Damon sabiam disso, mas não se importaram. Eles pediram para que Katherine decidisse com quem ela queria se casar. — Elena parou e deu um sorriso torto, pensando que o sr. Tanner tinha razão; a história se repetia. Ela só esperava que a história

90 ✦ *Diários do Vampiro – A Fúria*

dela mesma não terminasse como a de Katherine. — Mas ela escolheu *os dois*. Ela trocou sangue com os dois e disse que os três podiam viver juntos pela eternidade.

— Que coisa pervertida — murmurou Bonnie.

— Que coisa *burra* — disse Meredith.

— Você entendeu bem — disse-lhe Elena. — Katherine era um doce, mas não era muito inteligente. Stefan e Damon já não se gostavam. Eles disseram que ela *precisava* decidir, que eles nem cogitariam partilhá-la. E ela fugiu, chorando. No dia seguinte... Bom, eles acharam o corpo dela, ou o que restava dele. Olha só, um vampiro precisa de um talismã como este anel para sair ao sol sem ser morto. E Katherine saiu ao sol sem o anel. Ela pensou que Damon e Stefan se reconciliariam se ela ficasse fora do caminho deles.

— Ah, meu Deus, que ro...

— Não, *não é* — Elena interrompeu Bonnie com veemência. — Não é nada romântico. Desde então Stefan tem vivido com a culpa e acho que Damon também, embora ninguém vá conseguir que ele admita isso. E o resultado imediato foi que eles pegaram as espadas e se mataram. Sim, se *mataram*. É por isso que agora eles são vampiros e é por isso que eles se odeiam tanto. E é por isso que eu devo ser uma grande tola por tentar fazer com que eles cooperem.

7

ooperar com o quê? — perguntou Meredith.

— Depois eu explico. Primeiro quero saber o que aconteceu na cidade desde que eu... parti.

— Bom, principalmente toda a comoção — disse Meredith, erguendo uma sobrancelha. — Tia Judith tem estado muito mal. Ela teve uma alucinação de que viu você... Só que não foi alucinação, foi? E parece que ela e Robert terminaram.

— Eu sei — disse Elena, fechando a cara. — Continue.

— Todo mundo na escola está perturbado. Eu queria conversar com Stefan, em especial depois que comecei a desconfiar de que você não estava morta de verdade, mas ele não foi à escola. Matt *foi*, mas tem alguma coisa errada com ele. Parece um zumbi e não fala com ninguém. Eu queria explicar a ele que havia uma possibilidade de você não ter partido para sem-

92 ✦ *Diários do Vampiro – A Fúria*

pre. Pensei que isso o animaria. Mas ele nem me ouviu. Estava totalmente fora de si e a certa altura achei que ele ia me bater. Não ouviu nem uma palavra sequer.

— Ah, meu Deus... Matt. — Algo terrível se agitava no fundo da mente de Elena, uma lembrança perturbadora demais para ser libertada. Ela não podia lidar com mais nada agora, *não podia*, pensou Elena, e empurrou a lembrança de volta.

Meredith continuava.

— Mas é evidente que algumas pessoas também desconfiam de sua "morte". Foi por isso que eu disse o que disse no serviço fúnebre; tive medo de que Alaric Saltzman acabasse pegando você numa emboscada na frente da sua casa se eu dissesse o dia e o lugar corretos. Ele anda fazendo todo tipo de perguntas, e ainda bem que Bonnie não sabia de nada, ou podia falar demais.

— Isso não é justo — protestou Bonnie. — Alaric está apenas interessado, é só isso, e ele quer nos ajudar a superar o trauma, como antes. Ele é de aquário...

— Ele é um espião — disse Elena. — E talvez mais do que isso. Mas a gente conversa sobre essa história depois. E Tyler Smallwood? Não o vi no funeral.

Meredith ficou confusa.

— Quer dizer que não sabe?

— Eu não sei de *nada*; passei quatro dias dormindo num sótão.

— Bom... — Meredith parou, inquieta. — Tyler acaba de voltar do hospital. O mesmo com Dick Carter e aqueles quatro valentões com quem eles estavam no Dia dos Fundadores. Eles foram atacados no barracão naquela tarde e perderam muito sangue.

— *Ah.* — Estava explicado por que os Poderes de Stefan ficaram muito mais fortes naquela noite. E por que vinham enfraquecendo desde então. Ele não devia se alimentar desde aquele dia. — Meredith, Stefan é suspeito?

— Bom, o pai do Tyler tentou, mas a polícia não conseguiu bater os horários. Eles souberam aproximadamente quando Tyler foi atacado porque ele devia se encontrar com o sr. Smallwood e não apareceu. E Bonnie e eu podemos dar um álibi a Stefan para aquela hora porque tínhamos acabado de deixá-lo perto do rio com seu corpo. Então ele *não pode* ter voltado ao barracão para atacar Tyler... Pelo menos nenhum ser humano normal poderia. E até agora a polícia não pensou em nada sobrenatural.

— Sei. — Elena ficou aliviada pelo menos com isto.

— Tyler e aqueles caras não podem identificar o agressor por que não se lembram de nada daquela tarde — acrescentou Meredith.

— Nem Caroline.

— *Caroline* estava lá?

— Estava, mas não foi mordida. Só estava em choque. Apesar de tudo o que ela fez, eu quase sinto pena dela. — Meredith deu de ombros e acrescentou: — Ela anda bem patética ultimamente.

— E não acho que alguém vá suspeitar de Stefan depois do que aconteceu com aqueles cães na igreja hoje — acrescentou

94 ✦ *Diários do Vampiro – A Fúria*

Bonnie. — Meu pai disse que um cachorro grande pode ter quebrado a janela do barracão, e as feridas no pescoço de Tyler são meio parecidas com mordidas de animal. Acho que muita gente acredita que foi um cachorro ou uma matilha que fez aquilo.

— É uma explicação conveniente — disse Meredith, secamente. — Quer dizer que eles não precisam mais pensar no assunto.

— Mas é ridículo — disse Elena. — Cães normais não se comportam desse jeito. As pessoas não estão se perguntando *por que* seus cães de repente saíram de controle e se voltaram contra elas?

— Muita gente está se livrando deles. Ah, e ouvi alguém falar de um exame obrigatório de raiva — disse Meredith. — Mas não é só raiva, né, Elena?

— Não, acho que não. E nem Stefan ou Damon. E era sobre isso que eu queria conversar. — Elena explicou, com a maior clareza que pôde, o que esteve pensando sobre o Outro Poder em Fell's Church. Contou sobre a força que a perseguira na ponte e da sensação que teve com os cães, de tudo o que ela, Stefan e Damon discutiram. E concluiu: — E a própria Bonnie disse na igreja hoje: "Alguma coisa maligna." Acho que é o que está em Fell's Church, algo que ninguém conhece, algo completamente mau. Não imagino que *você* saiba o que isso significa, Bonnie.

Mas a mente de Bonnie disparava por outra via.

— Então Damon não fez *necessariamente* todas aquelas coisas medonhas que você disse que ele fez — disse ela com astúcia. — Tipo matar Yangtze, machucar Vickie e matar o sr. Tanner, tudo isso. Eu disse para você que um cara tão lindo não podia ser um psicopata homicida.

— Eu acho — disse Meredith fitando Elena — que é melhor você esquecer Damon como interesse amoroso.

— Sim — disse Elena enfaticamente. — Ele *matou* o sr. Tanner, Bonnie. E há motivos para acreditar que os outros ataques também foram dele; vou perguntar a ele sobre isso. E eu mesma estou tendo muitos problemas para lidar com Damon. Você não vai querer se misturar com ele, Bonnie, pode acreditar.

— Eu tenho que deixar Damon em paz; tenho que deixar Alaric em paz... Tem algum cara que eu *não* deva deixar em paz? E enquanto isso Elena pega todos. Não é justo.

— A *vida* não é justa — disse Meredith com severidade. — Mas escute, Elena, mesmo que exista esse Outro Poder, que tipo de poder acha que é? Parece com o quê?

— Não sei. Uma coisa tremendamente forte... Mas pode se proteger para que não possamos senti-la. Pode parecer uma pessoa comum. E é por isso que vim pedir sua ajuda, porque pode ser qualquer um em Fell's Church. É como o que Bonnie disse no funeral hoje: "Ninguém é o que parece."

Bonnie ficou perdida.

— Não me lembro de ter dito isso.

— Você disse, sim. "Ninguém é o que parece" — Elena citou novamente. — *Ninguém.* — Ela olhou para Meredith, mas os olhos escuros sob as sobrancelhas arqueadas e elegantes eram calmos e distantes.

— Bom, isso faz com que *todo mundo* seja suspeito — disse Meredith em sua voz mais inabalável. — Não é?

— É — disse Elena. — Mas é melhor pegar papel e caneta e fazer uma lista dos mais importantes. Damon e Stefan já concordaram em ajudar na investigação e vamos ter uma chance muito maior de descobrir se vocês ajudarem também. — Nisso ela estava em plena forma; sempre foi boa na organização de tarefas, de esquemas para conseguir meninos a eventos para angariar fundos. Esta era só uma versão mais séria dos velhos planos A e B.

Meredith deu lápis e papel a Bonnie, que olhou para eles, depois para Meredith, em seguida para Elena.

— Tá legal — disse ela —, mas quem *entra* na lista?

— Bom, todo mundo de quem temos motivos para desconfiar de que seja o Outro Poder. Qualquer um que possa ter feito coisas que sabemos que foram feitas: fechar Stefan no poço, me perseguir, colocar os cães contra as pessoas. Qualquer um que a gente tenha visto com um comportamento estranho.

— Matt — disse Bonnie, escrevendo, atarefada. — E Vickie. E Robert.

— Bonnie! — exclamaram Elena e Meredith ao mesmo tempo.

Bonnie levantou a cabeça.

— Bom, o Matt *tem* estado estranho e Vickie também, há meses. E Robert ficou zanzando do lado de fora da igreja antes do funeral, mas não entrou...

— Ah, Bonnie, francamente — disse Meredith. — A Vickie é uma *vítima*, e não suspeita. E se Matt é um Poder do mal, eu sou o corcunda de Notre Dame. Quanto a Robert...

— Tá legal, já risquei todos — disse Bonnie friamente. — Agora vamos ouvir as *suas* ideias.

— Não, peraí — disse Elena. — Bonnie, só um minutinho. — Ela pensava em alguma coisa, algo que a incomodara por algum tempo, desde... — Desde a igreja — disse ela em voz alta, lembrando-se. — Sabe de uma coisa, eu também vi o Robert na frente da igreja, quando eu estava escondida na galeria do coro. Foi pouco antes do ataque dos cães e ele estava meio que recuando, como se soubesse o que ia acontecer.

— Ah, mas Elena...

— Não, escute, Meredith. E eu o vi antes, na noite de sábado, com a tia Judith. Quando ela disse que não ia se casar com ele, apareceu alguma coisa no rosto dele... Sei lá. Mas acho que é melhor colocar Robert na lista de novo, Bonnie.

Séria, depois de hesitar por um momento, Bonnie escreveu.

— Quem mais? — disse ela.

— Bom, Alaric, eu acho — disse Elena. — Desculpe, Bonnie, mas ele é praticamente o número um. — Ela contou o que ouviu pela manhã entre Alaric e o diretor. — Ele não é um professor de história comum; eles o chamaram aqui por algum motivo. Ele sabe que me tornei uma vampira e está procurando por mim. E hoje, enquanto os cachorros atacavam, ele ficou parado, fazendo uns gestos esquisitos. Sem dúvida ele não é o que parece e a única pergunta é: o que ele *é*? Está me ouvindo, Meredith?

98 ✦ *Diários do Vampiro – A Fúria*

— Estou. Sabe de uma coisa, acho que devia incluir a sra. Flowers nessa lista. Lembra que ela ficou na janela do pensionato quando tiramos Stefan do poço, mas não desceu para abrir a porta pra gente? Esse é um comportamento estranho.

Elena assentiu.

— É, e ela desligava na minha cara quando eu telefonava para ele. Ela certamente se protege naquela casa velha. Pode ser só uma velha caduca, mas coloque na lista de qualquer forma, Bonnie. — Ela passou a mão no cabelo, tirando-o da nuca. Estava quente. Ou... não exatamente quente, mas desagradável de uma maneira parecida com o calor. Ela estava sedenta.

— Tá legal, vou passar no pensionato amanhã antes da aula — disse Meredith. — Enquanto isso, o que mais podemos fazer? Vamos dar uma olhada na lista, Bonnie.

Bonnie ergueu a lista para que elas pudessem ver, e Elena e Meredith se inclinaram e leram.

~~Matt Honeycutt~~
~~Vickie Bennett~~
Robert Maxwell — O que ele fazia na igreja quando os cães atacaram? E o que aconteceu à noite com a tia de Elena?

Alaric Saltzman — Por que ele faz tantas perguntas? Para que exatamente ele foi chamado a Fell's Church?

Sra. Flowers — Por que ela age de forma tão estranha? Por que não abriu a porta para entrarmos quando Stefan estava ferido?

— Ótimo — disse Elena. — Acho que podemos descobrir também de quem eram os cães que estavam na igreja hoje. E você pode vigiar Alaric na escola amanhã.

— *Eu* vou vigiar Alaric — disse Bonnie com firmeza. — E vou conseguir que ele se livre da suspeita; vai ver só.

— Tudo bem, faça isso. Pode ficar com ele. E Meredith pode investigar a sra. Flowers, e eu vou cuidar do Robert. E quanto a Stefan e Damon... Bom, eles cuidam de *qualquer um*, porque podem usar os Poderes para sondar a mente das pessoas. Além disso, essa lista não está nada completa. Vou pedir a eles para dar uma volta pela cidade em busca de algum sinal de Poder, ou qualquer coisa esquisita que esteja acontecendo. É mais provável que eles reconheçam e eu não.

Recostando-se, Elena lambeu os lábios, distraída. Ela *estava mesmo* sedenta. Percebeu algo que nunca notara: o traçado delicado das veias na face interna do pulso de Bonnie. Bonnie ainda segurava o bloco e a pele de seu pulso era tão transparente que as veias verde-azuladas apareciam com clareza. Elena queria ter dado atenção quando estudaram anatomia humana na escola; qual era mesmo o nome dessa veia, a grande, que se ramifica como uma forquilha numa árvore...?

— Elena. Elena!

Sobressaltada, Elena levantou a cabeça e viu os olhos escuros e preocupados de Meredith e a expressão alarmada de Bonnie. Foi só então que percebeu que estava agachada perto do pulso de Bonnie, alisando a veia maior com o dedo.

— Desculpe — murmurou ela, recostando-se. Mas podia sentir o alongamento de seus caninos afiados. Era parecido

100 ◆ *Diários do Vampiro – A Fúria*

com usar aparelho nos dentes; ela podia sentir com clareza a diferença de peso. Elena percebeu que seu sorriso tranquilizador para Bonnie não surtiu o efeito desejado. Bonnie parecia assustada, o que era tolice. Bonnie devia saber que Elena jamais a machucaria. E Elena não estava com *muita* fome esta noite; sempre foi de comer pouco. Podia ter tudo o que precisava daquela veiazinha ali no pulso...

Elena se pôs de pé num salto e girou para a janela, encostando-se no caixilho, sentindo o ar frio da noite soprar em sua pele. Estava tonta e não conseguia controlar a respiração.

O que ela estava *fazendo*? Ela se virou e viu Bonnie aninhada perto de Meredith, as duas parecendo doentes de medo. Elena odiava que a olhassem dessa maneira.

— Desculpe — disse ela. — Eu não pretendia fazer isso, Bonnie. Olha, não vou chegar mais perto. Eu devia ter me alimentado antes de vir aqui. O Damon disse que eu teria fome mais tarde.

Bonnie engoliu em seco, parecendo ainda mais nauseada.

— Alimentado?

— Sim, claro — disse Elena com acidez. Suas veias ardiam; era esta a sensação. Stefan a descrevera, mas ela nunca entendeu realmente; nunca percebeu o que ele passava quando era dominado pela necessidade de sangue. Era terrível, irresistível.

— O que acha que como ultimamente? Vento? — acrescentou ela, num tom de desafio. — Agora sou uma caçadora, e é melhor sair para caçar.

Bonnie e Meredith tentavam compreender; ela sabia que se esforçavam, mas também podia ver a repulsa no olhar das amigas. Elena se concentrou em usar seus novos sentidos, em abrir-se para a noite à procura da presença de Stefan ou Damon. Era difícil porque nenhum dos dois estava projetando sua mente, como fizeram na noite em que lutaram no bosque, mas ela pensou sentir uma centelha de Poder na cidade.

Mas Elena não tinha como se comunicar com eles e a frustração agravou ainda mais a ardência em suas veias. Ela havia decidido simplesmente que podia sair sem eles quando as cortinas bateram em seu rosto, numa lufada de vento. Bonnie recuou com um ofegar, derrubando a luminária da mesa de cabeceira e lançando o quarto na escuridão. Xingando, Meredith tentou endireitar a luminária. As cortinas esvoaçavam na luz que bruxuleava e Bonnie parecia tentar gritar.

Quando a lâmpada finalmente foi atarraxada de volta, revelou Damon sentado despreocupadamente, mas de forma precária, no peitoril da janela aberta, com um joelho para cima. Dava um de seus sorrisos mais ousados.

— Posso? — disse ele. — Isto é desconfortável.

Elena olhou para Bonnie e Meredith, que estavam encostadas no armário, ao mesmo tempo apavoradas e hipnotizadas. Ela sacudiu a cabeça, exasperada.

— E eu achava que *eu* é que gostava de fazer entradas teatrais — disse ela. — Muito engraçado, Damon. Agora vamos.

— Com essas duas lindas amigas suas bem aqui? — Damon sorriu novamente para Bonnie e Meredith. — Além de tudo, acabei de chegar. Ninguém terá a educação de me convidar para entrar?

102 ✦ *Diários do Vampiro – A Fúria*

Os olhos castanhos de Bonnie, incontrolavelmente fixos no rosto dele, se suavizaram um pouco. Seus lábios, que estavam separados de pavor, se separaram ainda mais. Elena reconheceu os sinais de desastre iminente.

— Não, elas *não vão* — disse Elena. Ela se colocou diretamente entre Damon e as outras meninas. — Ninguém aqui está à sua disposição, Damon... Nem agora, nem nunca. — Vendo a chama de desafio nos olhos dele, ela acrescentou com malícia: — De qualquer maneira, estou indo embora. Não sei quanto a *você*, mas eu vou caçar. — Ela ficou mais tranquila ao sentir a presença de Stefan por perto, talvez no telhado, e ouvir sua correção imediata: *Nós vamos caçar, Damon. Pode ficar sentado aí a noite toda, se quiser.*

Damon desistiu com elegância, lançando um último olhar de diversão para Bonnie antes de desaparecer da janela. Bonnie e Meredith partiram para frente, alarmadas, obviamente preocupadas que ele tenha morrido na queda.

— Ele está bem — disse Elena, sacudindo a cabeça de novo. — E não se preocupem, não vou deixar que volte. Encontro vocês nessa mesma hora amanhã. Tchau.

— Mas... Elena... — Meredith parou. — Quer dizer, eu ia perguntar se você queria trocar de roupa.

Elena se olhou. O vestido do século XIX estava esfarrapado e sujo, a musselina fina e branca rasgada em alguns lugares. Mas não havia tempo para trocar de roupa; ela precisava se alimentar *agora*.

— Isso vai ter de esperar — disse ela. — A gente se vê amanhã. — E Elena se atirou pela janela, como Damon fizera. Na última vez em que olhou para trás, viu Meredith e Bonnie observarem atordoadas a sua partida.

Elena estava ficando melhor nos pousos; desta vez não machucou os joelhos. Stefan estava ali e lançou alguma coisa escura e quente em volta dela.

— Seu manto — disse ela, satisfeita. Por um momento eles sorriram um para o outro, lembrando-se da primeira vez em que ele emprestara seu manto a ela, depois de tê-la salvado de Tyler no cemitério e a levado até seu quarto para se limpar. Na hora, ele teve medo de tocar em Elena. Mas, pensou ela, sorrindo para os olhos dele, ela deu um jeito nesse medo rapidamente.

— Pensei que íamos caçar — disse Damon.

Elena voltou o sorriso para ele, sem soltar a mão de Stefan.

— E vamos — disse ela. — Onde devemos ir?

— Qualquer casa desta rua — sugeriu Damon.

— O bosque — disse Stefan.

— O bosque — decidiu Elena. — Não tocamos em humanos e não matamos. Não é assim, Stefan?

Ele retribuiu a pressão em seus dedos.

— É assim — disse ele em voz baixa.

O lábio de Damon se torceu criticamente.

— E o que exatamente vamos procurar no bosque, posso saber? Ratos silvestres? Gambás? Cupins? — Os olhos de Damon encontraram os de Elena e sua voz baixou. — Venha comigo e vou lhe mostrar uma caçada de verdade.

— Podemos ir pelo cemitério — disse Elena, ignorando-o.

104 ✦ *Diários do Vampiro – A Fúria*

— O veado-de-cauda-branca se alimenta a noite toda em espaços abertos — Stefan disse a ela —, mas precisamos ter cuidado ao nos aproximarmos; eles podem ouvir tão bem quanto nós.

Em outra hora, então, disse a voz de Damon na mente de Elena.

8

— **Q**uem...? Ah. É você! — disse Bonnie, alarmando-se ao sentir seu cotovelo sendo tocado. — Me deu um susto. Não ouvi você chegar.

Era preciso ter mais cuidado, percebeu Stefan. Nos poucos dias em que ficou fora da escola, ele perdeu o hábito de andar e se movimentar como um humano e recaíra no andar silencioso e perfeitamente controlado do caçador.

— Desculpe — disse ele, enquanto os dois seguiam lado a lado pelo corredor.

— Tranquilo — disse Bonnie com uma corajosa tentativa de indiferença. Mas seus olhos castanhos estavam arregalados e fixos. — E o que está fazendo aqui hoje? Meredith e eu passamos no pensionato de manhã para ver a sra. Flowers, mas ninguém atendeu. E não vi você na aula de biologia.

106 ✦ *Diários do Vampiro – A Fúria*

— Cheguei esta tarde. Voltei à escola. Pelo menos pelo tempo que precisar para descobrir o que procuramos.

— Quer dizer espionar Alaric — murmurou Bonnie. — Eu disse a Elena ontem para deixar Alaric comigo. Oooops — acrescentou ela, enquanto uma dupla de alunos do primeiro ano que passava a olhou. Ela revirou os olhos para Stefan. Por acordo mútuo, eles pegaram um corredor lateral e foram para o poço de uma escada vazia. Bonnie se encostou na parede com um gemido de alívio.

— Tenho que me lembrar de não falar o nome dela — disse ela, comovida —, mas é *tão difícil*. Minha mãe me perguntou como eu me sentia hoje de manhã e eu quase disse "Bem", porque vi Elena ontem à noite. Não sei como vocês dois conseguem esconder... você sabe o que... um segredo por tanto tempo.

Stefan sentiu um sorriso malicioso brotar entre seus lábios contra a própria vontade. Bonnie era como um gatinho de seis semanas, toda encanto e sem inibições. Sempre dizia exatamente o que passava pela sua cabeça, mesmo que contradissesse inteiramente o que acabara de falar, mas era sincera em tudo.

— Você está num corredor deserto com um você-sabe-o-que agora — Stefan lembrou a ela diabolicamente.

— Uuhhh. — Os olhos de Bonnie se arregalaram ainda mais. — Mas você não faria nada, né? — acrescentou ela, aliviada. — Porque Elena ia *matar* você... Ai, caramba. — Procurando outro assunto, ela engoliu em seco e disse: — E aí... Como foram as coisas ontem à noite?

O estado de espírito de Stefan ficou sombrio de imediato.

— Não muito bem. Ah, Elena está bem; está dormindo em segurança. — Antes que pudesse continuar, seus ouvidos captaram passos no final do corredor. Três meninas do terceiro ano estavam passando e uma delas se separou do grupo ao ver Stefan e Bonnie. A cara de Sue Carson estava pálida e seus olhos estavam avermelhados, mas ela sorriu para os dois.

Bonnie se encheu de preocupação.

— Sue, como você está? Como está o Doug?

— Estou bem. Ele também, ou pelo menos vai ficar. Stefan, eu queria falar com você — acrescentou ela, apressada. — Sei que ontem meu pai agradeceu a você por ajudar o Doug, mas eu queria agradecer também. Quer dizer, sei que as pessoas na cidade foram horríveis com você e... Bom, só estou surpresa que você se importasse a ponto de ajudar. Mas estou feliz com isso! Minha mãe disse que você salvou a vida de Doug. Então eu queria agradecer e pedir desculpas... por tudo.

A voz dela tremeu ao terminar seu discurso. Bonnie fungou e procurou um lenço na mochila, e por um momento parecia que Stefan ia ficar preso no poço da escada com duas meninas aos prantos. Desanimado, ele vasculhou o cérebro, procurando por uma distração.

— Está tudo bem — disse ele. — Como está a Chelsea?

— Está no canil da prefeitura. Estão mantendo os cães em quarentena lá, todos os que conseguiram pegar. — Sue enxugou os olhos e endireitou o corpo, e Stefan relaxou, vendo que o perigo havia passado. Caiu um silêncio canhestro.

— Bom — disse Bonnie enfim a Sue —, já soube o que o conselho da escola decidiu sobre o Baile da Neve?

— Ouvi dizer que se reuniram esta manhã e decidiram nos deixar fazer, assim. Mas alguém disse que falaram em proteção policial. Ih, o último sinal. É melhor irmos para a aula de história antes que Alaric nos dê falta.

— Daqui a pouco vamos também — disse Stefan. Acrescentando despreocupadamente: — Quando vai ser o Baile da Neve?

— No dia 13; na sexta-feira à noite, sabe como é — disse Sue, depois estremeceu. — Ai, meu Deus. Sexta-feira 13. Eu não tinha pensado nisso. Mas me lembra que há outra coisa que quero te dizer. Hoje de manhã tirei meu nome do concurso de rainha da neve. É só que... me parecia o certo a se fazer. Só isso. — Ela se afastou às pressas, quase correndo.

A mente de Stefan disparava.

— Bonnie, *o que é* um Baile da Neve?

— Bom, é como um baile de natal, só que temos uma rainha da neve em vez de uma rainha do natal. Depois do que aconteceu no Dia dos Fundadores, estavam pensando em cancelar, e com os cachorros ontem... Mas parece que vão fazer mesmo, no final das contas.

— Na sexta-feira 13 — disse Stefan com severidade.

— É. — Bonnie estava assustada de novo, se encolhendo e tentando ficar invisível. — Stefan, não faça essa cara; está me apavorando. Qual é o problema? O que acha que vai acontecer no baile?

— Não sei. — Mas algo vai acontecer, pensava Stefan. Fell's Church não tinha uma só comemoração pública que não fosse visitada pelo Outro Poder e esta provavelmente seria a última festividade do ano. Mas não tinha sentido falar nesse assunto agora. — Vamos — disse ele. — Estamos muito atrasados.

Ele tinha razão. Alaric Saltzman já estava ao quadro-negro quando entraram, como estivera no primeiro dia em que apareceu na aula de história. Se ficou surpreso ao vê-los chegando tão tarde, disfarçou impecavelmente, dando um de seus sorrisos mais simpáticos.

Então é você que está caçando o caçador, pensou Stefan, sentando-se e examinando o homem que estava diante dele. Você é mais do que aparenta? Talvez o Outro Poder de Elena?

Diante desta possibilidade, nada mais parecia improvável. O cabelo cor de areia de Alaric, meio comprido demais para um professor, o sorriso juvenil, o ânimo inabalável, tudo contribuía para uma impressão de inocência. Mas Stefan se preocupara desde o início com o que poderia haver por trás dessa fachada inofensiva. Ainda assim, não parecia muito provável que Alaric Saltzman estivesse por trás dos ataques a Elena ou do incidente com os cães. Nenhum disfarce seria tão perfeito.

Elena. A mão de Stefan se fechou sob a mesa e uma dor lenta despertou em seu peito. Ele não pretendia pensar nela. Só conseguiu passar pelos últimos dias mantendo-a à margem de sua mente, sem deixar que a imagem dela se aproximasse

110 ♦ *Diários do Vampiro – A Fúria*

de fato. Mas é claro que o esforço de conservá-la a uma distância segura consumia grande parte de seu tempo e energia. E este era o pior lugar de todos para se estar, numa sala de aula onde ele não dava a mínima para o que era ensinado. Não havia mais *nada* para se pensar ali.

Stefan se obrigou a respirar lentamente, com calma. Ela estava bem; era isso que importava. Nada mais tinha importância. Mas mesmo dizendo isso a si mesmo, o ciúme o roía como os golpes de uma chibata. Porque agora, sempre que pensava em Elena, tinha de pensar *nele*.

Em Damon, que estava livre para ir e vir como bem entendesse. Que poderia até estar com Elena neste minuto.

A raiva ardeu na mente de Stefan, forte e fria, misturando-se com a dor quente em seu peito. Ele ainda não estava convencido de que não havia sido Damon que o atirou sem a menor preocupação, sangrando e inconsciente, num poço abandonado para morrer ali. E ele levaria muito mais a sério a ideia de Elena de Outro Poder se tivesse certeza absoluta de que Damon não perseguira Elena até a morte. Damon era maligno; não tinha misericórdia nem escrúpulos...

E o que ele fez que eu não tenha feito?, perguntou-se Stefan, pela centésima vez, com severidade. Nada.

A não ser matar.

Stefan tentou matar. Pretendia matar Tyler. Em suas lembranças, o fogo frio da raiva que nutria por Damon se extinguia e ele observou uma carteira nos fundos da sala.

Estava vazia. Embora Tyler tivesse saído do hospital na véspera, não voltara à escola. Ainda assim, não devia haver perigo em se lembrar de nada daquela tarde terrível. A sugestão subliminar de esquecer devia durar um tempo, desde que ninguém mexesse com a mente de Tyler.

De repente ele ficou ciente de que fitava a carteira vazia de Tyler com os olhos semicerrados e taciturnos. Ao virar o rosto, viu de relance alguém que o estivera observando.

Matt virou-se rapidamente e se curvou sobre o livro de história, mas não antes que Stefan percebesse sua expressão.

Não pense nisso. Não pense em mais nada, disse Stefan a si mesmo, e tentou se concentrar na aula de Alaric Saltzman sobre a Guerra das Duas Rosas.

5 de dezembro — não sei a hora,
talvez o início da tarde

Querido Diário,

Damon trouxe você de volta para mim esta manhã. Stefan disse que não queria que eu voltasse ao sótão de Alaric. É a caneta de Stefan que estou usando. Não tenho mais nada que seja meu, ou pelo menos não posso pegar nenhuma de minhas coisas, e a tia Judith daria falta da maioria delas, se eu pegasse. Estou sentada agora em um celeiro atrás do pensionato. Não posso ir onde as pessoas dormem, a não ser que eu tenha sido convidada. Acho que os animais não contam, porque há alguns ratos dormindo aqui embaixo do feno e uma coruja no telhado. No momento, nós nos ignoramos.

Estou tentando ao máximo não me descontrolar.

Achei que escrever poderia ajudar. Fazer algo normal, familiar. Só que nada mais na minha vida é normal.

Damon disse que vou me acostumar a isso mais rápido se deixar de lado minha antiga vida e me entregar à nova. Ele parece pensar que é inevitável que eu fique igual a ele. Disse que eu nasci para ser uma caçadora e que não tem sentido fazer as coisas pela metade.

Cacei um cervo ontem à noite. Um macho, porque estava fazendo muito barulho, batendo os chifres em galhos de árvores, desafiando outros machos. Eu bebi o sangue dele.

Quando folheio este diário, só o que vejo é que eu procurava por uma coisa, por um lugar que fosse meu. Mas não é assim. Esta nova vida não é assim. Tenho medo do que vou me tornar se começar a me sentir à vontade nela.

Ah, meu Deus, estou com medo.

A coruja é quase toda branca, em especial quando abre as asas e podemos ver por baixo. De trás, parece mais dourada. Tem um pouco de dourado em volta da face. Ela está me olhando agora porque estou fazendo barulho, tentando não chorar.

É engraçado que eu ainda consiga chorar. Acho que são as bruxas que não conseguem.

Começou a nevar lá fora. Estou puxando o manto em volta de mim.

Elena colocou o livrinho mais perto do corpo e levou o veludo escuro do manto até o queixo. O celeiro estava inteiramente silencioso, a não ser pela respiração mínima dos animais que dormiam ali. Lá fora a neve caía no mesmo silêncio, cobrindo o mundo de uma quietude abafada. Elena olhou a neve com olhos que não enxergavam, mal percebendo as lágrimas que escorriam por seu rosto.

— E Bonnie McCullough e Caroline Forbes, por favor, fiquem mais um minuto em sala — disse Alaric quando tocou o último sinal.

Stefan franziu o cenho, um franzido que se aprofundou quando ele viu Vickie Bennett pairando do lado de fora da porta aberta da sala de história, os olhos tímidos e assustados.

— Vou ficar bem ali fora — disse ele sugestivamente a Bonnie, que assentiu. Stefan acrescentou um erguer de sobrancelhas para alertá-la e ela respondeu com um olhar altivo. Tente pegar *a mim* dizendo alguma coisa que não devia, dizia o olhar.

Ao sair, Stefan só esperava que ela cumprisse sua palavra.

Vickie Bennett entrava enquanto ele saía e ele teve de se afastar para dar passagem a ela. Mas isso o colocou no caminho de Matt, que saía pela outra porta e tentava andar pelo corredor o mais rápido possível.

Stefan pegou o braço dele sem pensar.

— Matt, espere.

— Me solta. — O punho de Matt se ergueu. Ele parecia surpreso, como se não tivesse certeza do motivo para ficar cha-

114 ✦ *Diários do Vampiro – A Fúria*

teado. Mas cada músculo de seu corpo lutava com a mão de Stefan.

— Só queria conversar com você. Apenas um minuto, está bem?

— Não tenho um minuto — disse Matt, e por fim seus olhos, de um azul mais claro e menos confusos do que os de Elena, encontraram os de Stefan. Mas havia um vazio no fundo deles que lembrou Stefan do olhar de quem foi hipnotizado, ou que estava sob a influência de algum Poder.

Só que não havia Poder nenhum, apenas a mente de Matt, percebeu ele abruptamente. Era o que o cérebro humano fazia consigo mesmo quando enfrentava algo com que simplesmente não conseguia lidar. Matt estava em suspenso, tinha se desligado.

Testando, Stefan disse:

— Sobre o que aconteceu no sábado à noite...

— Não sei do que está falando. Olha aqui, eu disse que tenho que ir, que saco. — A negação era como uma fortaleza por trás dos olhos de Matt. Mas Stefan precisava tentar de novo.

— Não o culpo por estar chateado. No seu lugar, eu estaria furioso. Sei como é não querer pensar, em especial quando pensar pode enlouquecer você. — Matt sacudiu a cabeça e Stefan olhou o corredor. Estava quase vazio e o desespero o levou a dar um passo arriscado. Ele baixou a voz. — Mas talvez você pelo menos queira saber que Elena está acordada e ela está muito...

— Elena está morta! — gritou Matt, atraindo a atenção de todos no corredor. — E eu disse para você me soltar! — acrescentou ele, sem dar pela presença da plateia, empurrando Stefan com força. Foi tão inesperado que Stefan esbarrou nos armários, quase se esparramando no chão. Ele fitou Matt, mas Matt não olhou nem uma vez para trás ao seguir pelo corredor.

Ele passou o resto do tempo olhando para a parede, até Bonnie sair. Havia um cartaz ali para o Baile da Neve e Stefan já havia decorado cada centímetro dele quando as meninas saíram da sala.

Apesar de tudo o que Caroline tentara fazer com ele e Elena, Stefan descobriu que não conseguia odiá-la. Seu cabelo castanho arruivado parecia desbotado, a expressão atormentada. Em vez de ser esbelta, sua postura parecia murcha, pensou ele, vendo-a se afastar.

— Está tudo bem? — disse ele a Bonnie, enquanto andavam no mesmo ritmo.

— Sim, claro. Alaric só soube que nós três... Vickie, Caroline e eu... passamos por muita coisa e queria que *nós* soubéssemos que ele está do nosso lado — disse Bonnie, apesar de seu otimismo obstinado com o professor de história ter soado meio forçado. — Mas nenhuma de nós contou nada a ele. Ele vai dar outra reunião na casa dele na semana que vem — acrescentou ela, animada.

Que maravilha, pensou Stefan. Normalmente poderia ter dito alguma coisa sobre isso, mas no momento estava distraído.

116 ✦ *Diários do Vampiro – A Fúria*

— Lá está a Meredith — disse ele.

— Ela deve estar nos esperando... Não, está indo para a sala de história — disse Bonnie. — Que estranho. Eu disse a ela que ia encontrá-la aqui fora.

Era mais do que estranho, pensou Stefan. Ele só pegou um vislumbre de Meredith quando ela virava pelo canto, mas aquele vislumbre ficou em sua mente. A expressão de Meredith era calculada e atenta, seu andar era furtivo. Como se tentasse fazer algo sem ser vista.

— Ela vai voltar daqui a um minuto, quando perceber que não estamos lá — disse Bonnie, mas Meredith não voltou em um minuto, nem em dois, nem em três. Na realidade, passaram-se quase dez minutos antes que ela aparecesse e na hora demonstrou surpresa ao ver Stefan e Bonnie esperando por ela.

— Desculpe, tive um atraso — disse ela com frieza, e Stefan tinha de admirar seu autocontrole. Mas ele se perguntou o que havia por trás daquilo, e só mesmo Bonnie estava com humor para bater papo enquanto os três saíam da escola.

— Mas da última vez você usou o fogo — disse Elena.

— Porque procurávamos por Stefan, por uma pessoa específica — respondeu Bonnie. — Desta vez estamos tentando prever o futuro. Se eu estivesse tentando prever o *seu* futuro, leria a palma de sua mão, mas estamos tentando descobrir algo mais genérico.

Meredith entrou no quarto, equilibrando com cuidado uma tigela de porcelana com água até a borda. Na outra mão, segurava uma vela.

— Consegui as coisas — disse ela.

— A água era sagrada para os druidas — explicou Bonnie, enquanto Meredith colocava a tigela no chão e as três meninas se sentavam em volta.

— Ao que parece, *tudo* era sagrado para os druidas — disse Meredith.

— Shhh. Agora, coloque a vela no castiçal e acenda. Depois vou despejar cera derretida na água e as formas que vão aparecer me darão as respostas para as suas perguntas. Minha avó costumava derreter chumbo, e disse que a avó *dela* usava prata derretida, mas ela me disse que cera serve. — Quando Meredith acendeu a vela, Bonnie olhou para os lados e respirou fundo. — Estou ficando cada vez mais assustada quando faço isso — disse ela.

— Não precisa fazer — disse Elena com brandura.

— Eu sei. Mas eu quero... desta vez. Além disso, não é esse tipo de ritual que me assusta; o medonho é ser dominada. Eu *odeio* isso. Parece que tem outra pessoa entrando no meu corpo.

Elena franziu o cenho e abriu a boca, mas Bonnie continuava.

— De qualquer modo, lá vai. Apague a luz, Meredith. Me dê um minuto para me sintonizar e depois faça suas perguntas.

No silêncio do quarto escurecido, Elena viu a luz da vela bruxulear nas pálpebras de Bonnie e na expressão séria de Meredith. Olhou as próprias mãos no colo, pálidas contra o preto do suéter e das leggings que Meredith emprestara a ela. Depois olhou a chama que dançava.

— Tudo bem — disse Bonnie suavemente, pegando a vela.

118 ✦ *Diários do Vampiro – A Fúria*

Os dedos de Elena se retorceram, fechando-se com força, mas ela falou numa voz baixa para não quebrar o clima.

— Quem é o Outro Poder em Fell's Church?

Bonnie inclinou a vela para que a chama lambesse as laterais. A cera quente escorreu como água na tigela e ali formou glóbulos redondos.

— Estou com medo disso — murmurou Bonnie. — Não há resposta, nenhuma. Tente uma pergunta diferente.

Decepcionada, Elena se recostou, as unhas cravando-se nas palmas das mãos. Foi Meredith quem falou.

— Podemos *descobrir* este Outro Poder, se procurarmos? E podemos derrotá-lo?

— São duas perguntas — disse Bonnie à meia-voz enquanto inclinava a vela de novo. Desta vez a cera formou um círculo, um aro branco e encrespado.

— Isso é a unidade! O símbolo para as pessoas darem as mãos. Quer dizer que podemos conseguir, se ficarmos juntos.

A cabeça de Elena se ergueu de repente. Eram quase as mesmas palavras que ela disse a Stefan e Damon. Os olhos de Bonnie brilhavam de empolgação e elas trocaram um sorriso.

— Cuidado! Ainda está derramando cera — disse Meredith.

Bonnie rapidamente endireitou a vela, olhando a tigela de novo. A cera vertida formou uma linha reta e fina.

— Isso é uma espada — disse ela devagar. — Quer dizer sacrifício. Podemos conseguir, se ficarmos juntos, mas há sacrifícios.

— Que tipo de sacrifício? — perguntou Elena.

— Não sei — disse Bonnie com a expressão perturbada. — Por enquanto, é só o que posso dizer. — Ela recolocou a vela no castiçal.

— Caramba — disse Meredith, levantando-se para acender a luz. Elena também se levantou.

— Bom, pelo menos sabemos que podemos derrotá-lo — disse ela, puxando para cima as leggings, que eram compridas demais. Ela se viu rapidamente no espelho de Meredith. Certamente não parecia mais a Elena Gilbert que lançava moda no colégio. Vestida toda de preto daquele jeito, ela estava pálida e perigosa, como uma espada embainhada. Seu cabelo caía ao acaso nos ombros.

— Não me reconheceriam na escola — murmurou ela, com angústia. Era estranho que se importasse em ir à escola, mas ela se importava. Era porque *não podia* ir, refletiu. E porque era rainha de lá há tanto tempo, mandava nas coisas há tanto tempo, que era quase inacreditável que nunca mais fosse colocar os pés por lá.

— Pode ir a outro lugar — sugeriu Bonnie. — Quer dizer, depois que tudo isso passar, pode terminar o ano letivo em um lugar onde ninguém conheça você. Como o Stefan fez.

— Não, acho que não. — Elena estava com um humor estranho esta noite, depois de passar o dia sozinha no celeiro, olhando a neve. — Bonnie — disse ela de repente — você leria minha mão de novo? Quero que diga o *meu* futuro, o meu futuro pessoal.

— Nem sei se me lembro de todas as coisas que minha avó me ensinou... Mas tá legal, vou tentar — Bonnie cedeu. — Mas é melhor não haver mais *nenhum* estranho de cabelos castanhos pelo caminho. Você já conseguiu todos com que pode lidar. — Ela riu ao pegar a mão estendida de Elena. — Lembra quando Caroline perguntou o que você podia fazer com dois? Acho que agora descobriu, né?

— Quer fazer o favor de ler a minha mão?

— Tá legal, esta é sua linha da vida... — A tagarelice de Bonnie se interrompeu quase antes de ter começado. Encarava a mão de Elena, o medo e a apreensão em seu rosto. — Devia correr até aqui — disse ela. — Mas é interrompida de repente...

Por um segundo Bonnie e Elena se olharam sem dizer nada, enquanto Elena sentia a mesma apreensão se solidificar por dentro. Depois Meredith falou.

— Bom, naturalmente é curta — disse ela. — Só significa o que já aconteceu, quando Elena se afogou.

— Sim, claro, deve ser isso — murmurou Bonnie. Ela soltou a mão de Elena e esta a puxou devagar. — É isso mesmo — disse Bonnie numa voz mais firme.

Elena se via no espelho novamente. A menina que retribuía seu olhar era bonita, mas havia uma sabedoria triste em seus olhos que a velha Elena Gilbert jamais teve. Ela percebeu que Bonnie e Meredith a observavam.

— Deve ser isso — disse ela num tom animado, mas seu sorriso não chegou aos olhos.

9

— om, pelo menos não fui dominada — disse Bonnie. — Mas estou enjoada dessa história de paranormalidade; estou cansada da coisa toda. Foi a última vez, a última.

— Tudo bem — disse Elena, afastando-se do espelho —, vamos falar de outro assunto. Descobriram alguma coisa hoje?

— Eu falei com Alaric e ele vai dar outra reunião na semana que vem — respondeu Bonnie. — Ele perguntou a Caroline, a mim e Vickie se queríamos ser hipnotizadas para nos ajudar a superar o que aconteceu. Mas sei que ele não é o Outro Poder, Elena, ele é legal demais.

Elena assentiu. Ela mesma pensou melhor sobre suas desconfianças a respeito de Alaric. Não por ele ser legal, mas porque ela passou quatro dias dormindo no sótão da casa dele. O

122 ✦ *Diários do Vampiro – A Fúria*

Outro Poder a teria mesmo deixado ficar ali, ilesa? É claro que Damon tinha dito que influenciou Alaric para se esquecer de que ela estava ali, mas o Outro Poder teria sucumbido à influência de Damon? Não devia ser algo bem mais poderoso?

A não ser que os Poderes dele estivessem temporariamente esgotados, pensou ela de repente. Como os de Stefan, agora. Ou a não ser que só estivesse *fingindo* ser influenciado.

— Bom, ainda não vamos riscar o nome dele da lista — disse ela. — Precisamos ter cuidado. E a sra. Flowers? Descobriu algo sobre ela?

— Não tive sorte — disse Meredith. — Passamos no pensionato hoje de manhã, mas ela não atendeu à porta. Stefan disse que ia tentar localizá-la esta tarde.

— Se alguém me convidasse a *entrar* lá, eu podia vigiá-la também — disse Elena. — Parece que sou a única que não está fazendo nada. E acho... — ela se interrompeu por um instante, pensando, depois completou: — Acho que vou para casa... Quer dizer, para a casa da tia Judith. Talvez descubra Robert zanzando pelo jardim ou coisa parecida.

— Vamos com você — disse Meredith.

— Não, é melhor que eu faça isso sozinha. De verdade. Já consigo ser bem discreta ultimamente.

— Então aceite seu próprio conselho e tenha cuidado. Ainda está nevando muito.

Elena assentiu e saiu pela janela.

Ao se aproximar de sua casa, viu que um carro acabava de sair do portão. Elena se misturou nas sombras ficou observando. Os faróis iluminaram uma visão sinistra de inverno: a acácia dos vizinhos, como uma silhueta de galhos nus, com uma coruja branca empoleirada em um deles.

Elena reconheceu o carro que passou roncando. Era o Oldsmobile azul de Robert.

Ora, *isso* era interessante. Ela sentiu o impulso de segui-lo, mas o impulso mais forte foi de olhar a casa, certificar-se de que estava tudo bem. Ela a contornou furtivamente, examinando as janelas.

As cortinas de chintz amarelo da cozinha estavam puxadas, revelando uma parte iluminada do interior do cômodo. Tia Judith fechava a lava-louças. Será que Robert veio jantar?, perguntou-se Elena.

Tia Judith foi para o corredor da frente e Elena a acompanhou, contornando a casa novamente. Descobriu uma brecha nas cortinas da sala de estar e cautelosamente colocou os olhos no vidro ondulado, espesso e antigo da janela. Ouviu a porta da frente se abrir e fechar, depois tia Judith veio para a sala e se sentou no sofá. Ligou a TV e começou a zapear à toa pelos canais.

Elena queria poder enxergar mais do que apenas o perfil de tia Judith na luz trêmula da TV. Dava uma estranha sensação olhar esta sala sabendo que *só* podia olhar, e não entrar. Há quanto tempo não notava que a sala era bonita? A antiga cristaleira de mogno, apinhada de porcelana e copos, o abajur Tiffany na mesa ao lado da Tia Judith, as almofadas bordadas no sofá, tudo agora parecia precioso para ela. Parada ali fora, sentindo a leve carícia da neve na nuca, Elena queria poder entrar por um momento, só um pouquinho.

124 ✦ *Diários do Vampiro – A Fúria*

A cabeça da tia Judith estava tombada para trás, os olhos fechados. Elena encostou a cabeça na janela, depois se afastou devagar.

Subiu no marmeleiro na frente de seu quarto, mas para sua decepção as cortinas estavam fechadas. O bordo na frente do quarto de Margaret era frágil e mais difícil de escalar, mas Elena teve uma boa visão depois de subir; aquelas cortinas estavam escancaradas. Margaret dormia com as cobertas até o queixo, a boca aberta, o cabelo claro esparramado como um leque no travesseiro.

Oi, neném, pensou Elena, reprimindo as lágrimas. Era uma cena tão inocente e doce: a lâmpada noturna, a menininha na cama, os bichos de pelúcia nas prateleiras guardando seu sono. E ali vinha uma gatinha branca passando pela porta aberta para completar o quadro, pensou Elena.

Snowball pulou na cama de Margaret. A gatinha bocejou, mostrando uma língua mínima e rosada, e então se espreguiçou, exibindo pequenas garras. Depois andou delicadamente para se aconchegar no peito de Margaret.

Alguma coisa formigou nas raízes do cabelo de Elena.

Ela não sabia se era uma nova sensação de caçadora ou mera intuição, mas de repente teve medo. Havia perigo naquele quarto. Margaret corria perigo.

A gata ainda estava ali, o rabo se balançando de um lado a outro. E de repente Elena percebeu o que parecia. Os cães. Parecia o jeito como Chelsea olhava Doug Carson antes de atacá-lo. Ah, meu Deus, a cidade colocou os cães em quarentena, mas ninguém pensou nos gatos.

A mente de Elena trabalhava na velocidade máxima, mas isso não a ajudava. Só relampejavam imagens do que um gato poderia fazer com garras curvas e dentes afiados como agulhas. E Margaret estava deitada ali respirando suavemente, desligada de qualquer risco.

O pelo no dorso de Snowball se eriçava, o rabo inchava como uma escova de garrafa. Suas orelhas se achataram na cabeça e ela abriu a boca num silvo silencioso. Seus olhos estavam fixos no rosto de Margaret, como os de Chelsea se fixaram nos de Doug Carson.

— Não! — Elena olhou desesperada em volta, procurando por alguma coisa para atirar na janela, algo que fizesse barulho. Não podia se aproximar mais; os galhos mais externos da árvore não suportariam seu peso. — Margaret, acorde!

Mas a neve, acomodando-se como um manto ao redor, parecia amortecer as palavras e reduzi-las a nada. Um gemido baixo e dissonante começava a sair da garganta de Snowball enquanto ela voltava os olhos para a janela e depois novamente para o rosto de Margaret.

— Margaret, acorde! — gritou Elena. Depois, ao ver a gatinha recuar uma pata recurvada, Elena se atirou na janela.

Elena nunca entendeu como conseguiu se segurar. Não havia espaço para se ajoelhar no peitoril, mas suas unhas afundaram na madeira macia e antiga do caixilho e a ponta de uma bota se apertou no apoio abaixo. Ela bateu na janela com o peso do corpo, gritando.

— Fique longe dela! Acorde, Margaret!

126 ♦ *Diários do Vampiro – A Fúria*

Os olhos de Margaret se abriram e ela se sentou, atirando Snowball para trás. As garras da gata pegaram o edredom, lutando para se endireitar. Elena gritou novamente.

— Margaret, saia da cama! Abra a janela, rápido!

A carinha de 4 anos de Margaret estava cheia de surpresa sonolenta, mas não trazia medo. Ela se levantou e cambaleou até a janela enquanto Elena trincava os dentes.

— Isso. Que menina boazinha... Agora diga, "entre". Rápido, diga!

— Entre — disse Margaret obediente, piscando e recuando um passo.

A gata disparou para fora e Elena entrou. Tentou pegá-la, mas ela foi rápida demais. Depois de sair, deslizou pelos galhos do bordo com uma facilidade insultante e saltou na neve, desaparecendo.

A mãozinha puxava o suéter de Elena.

— Você voltou! — disse Margaret, abraçando os quadris de Elena. — Senti tanta saudade.

— Ah, Margaret, eu também senti muitas saudades de *você*... — começou Elena, depois ficou paralisada. A voz de tia Judith vinha do alto da escada.

— Margaret, está acordada? O que está havendo aí?

Elena só teve um segundo para tomar uma decisão.

— Não diga a ela que estou aqui — sussurrou Elena, colocando-se de joelhos. — É segredo, entendeu? Diga que deixou a gata sair, mas não conte que estou aqui. — Não havia tempo para mais nada; Elena se enfiou debaixo da cama e rezou.

Sob o estrado empoeirado, ela viu os pés vestidos com meias de tia Judith entrarem no quarto. Elena comprimiu o rosto no chão, sem respirar.

— Margaret! O que está fazendo fora da cama? Vamos, volte a dormir — disse a voz de tia Judith, depois a cama rangeu com o peso de Margaret e Elena ouviu os ruídos da tia mexendo nas cobertas. — Suas mãos estão congelando. Que diabos a janela está fazendo aberta?

— Eu abri e Snowball saiu — disse Margaret. Elena soltou o ar.

— E agora tem neve por todo o chão. Não acredito nisso... Não abra a janela de novo, entendeu? — Mais algum farfalhar e os pés com meia deixaram o quarto. A porta se fechou.

Elena se espremeu para fora.

— Boa garota — cochichou ela enquanto Margaret se sentava. — Estou orgulhosa de você. Olha, amanhã diga a tia Judith que você tem que dar a gatinha. Diga que ela assustou você. Sei que não quer fazer isso — ela levantou a mão para impedir o gemido que se formava nos lábios de Margaret —, mas tem que fazer. Porque estou dizendo que a gata vai machucar você se ficar com ela. Não quer se machucar, não é?

— Não — disse Margaret, os olhos azuis se enchendo de lágrimas. — Mas...

— E não quer que a gatinha machuque a tia Judith também, né? Então diga a tia Judith que não pode ter uma gatinha, nem um cachorrinho, nem mesmo um passarinho até que... Bom, por algum tempo. Não conte a ela que eu disse isso; ainda é nosso segredo. Diga que teve medo pelo que aconteceu com os cachorros na igreja. — Era melhor, raciocinou Elena sombriamente, que a menininha tivesse pesadelos do que ver um pesadelo se desenrolando neste quarto.

A boca de Margaret se abriu de tristeza.

— Tá bom.

— Desculpe, meu amor. — Elena se sentou e a abraçou. — Mas é assim que tem de ser.

— Você está fria — disse Margaret. Depois olhou no rosto de Elena. — Você é um anjo?

— Hum... não exatamente. — Exatamente o contrário, pensou Elena com ironia.

— A tia Judith disse que você foi ficar com a mamãe e o papai. Você já viu eles dois?

— Eu... É meio complicado de explicar, Margaret. Ainda não os vi. Não sou um anjo, mas vou ser seu anjo da guarda de qualquer maneira, está bem? Vou cuidar de você, mesmo quando não puder me ver. Está bem?

— Tá. — Margaret brincou com os dedos. — Isso quer dizer que não pode mais morar aqui?

Elena olhou o quarto rosa e branco, os bichos de pelúcia nas prateleiras, no canto a mesinha de escrever e o cavalinho de balanço que antigamente era dela.

— É isso que quer dizer — disse ela suavemente.

— Quando eles disseram que você foi ficar com a mamãe e o papai, eu falei que queria ir também.

Elena piscou com força.

— Ah, neném. Não está na hora de você ir, então não pode. E a tia Judith ama muito você e ela ia ficar sozinha...

Margaret assentiu, as pálpebras arriando. Mas enquanto Elena a deitava e puxava o cobertor, Margaret fez mais uma pergunta.

— Mas *você* não me ama?

— Ah, é claro que sim. Amo muito... E só agora eu percebo isso. Mas vou ficar bem e a tia Judith precisa muito de você. E... — Elena teve de respirar para se equilibrar e, quando olhou, viu os olhos de Margaret se fechando, a respiração regular. Ela dormia.

Ah. Idiota, *idiota*, pensou Elena, avançando pela neve acumulada até o outro lado da Maple Street. Ela perdeu a oportunidade de perguntar a Margaret se Robert tinha jantado lá. E agora era tarde demais.

Robert. Os olhos dela se estreitaram subitamente. Na igreja, Robert ficou do lado de fora e depois os cães enlouqueceram. E esta noite a gata de Margaret ficou uma fera — pouco depois de o carro de Robert deixar o portão da casa.

Robert tinha muito o que explicar, pensou ela.

Mas a melancolia a puxava, afastando seus pensamentos. Sua mente continuava voltando à casa iluminada que acabara de deixar, repassando as coisas que nunca mais veria. Todas as suas roupas, quinquilharias e joias — o que a tia Judith ia fazer com elas? Não tenho mais nada, pensou Elena. Sou pobre.

Elena?

Com alívio, Elena reconheceu a voz mental e a sombra distinta no final da rua. Correu para Stefan, que tirou as mãos dos bolsos da jaqueta e segurou as dela, para aquecê-las.

130 ✦ *Diários do Vampiro – A Fúria*

— Meredith me contou onde você tinha ido.

— Fui em casa — disse Elena. Era só o que podia dizer, mas ela se encostou nele, procurando conforto, e sabia que ele entendia.

— Vamos encontrar um lugar onde possamos nos sentar — disse ele e parou, frustrado. Todos os lugares a que costumavam ir ou eram perigosos demais, ou vedados a Elena. A polícia ainda estava com o carro de Stefan.

Por fim foram à escola, onde puderam se sentar sob um telhado e olhar a neve cair. Elena contou a ele o que aconteceu no quarto de Margaret.

— Vou pedir a Meredith e Bonnie para espalharem pela cidade que os gatos também podem atacar. As pessoas precisam saber disso. E acho que alguém deve vigiar Robert — concluiu ela.

— Vamos ficar na cola dele — disse Stefan, e ela não pôde deixar de sorrir.

— Engraçado como você ficou americanizado — disse ela. — Não penso nisso há muito tempo, mas quando você chegou aqui, era muito mais estrangeiro. Agora ninguém diria que não morou aqui a vida toda.

— Nós nos adaptamos rapidamente. Temos que nos adaptar — disse Stefan. — Sempre há novos países, novas décadas, novas situações. Você vai se adaptar também.

— Vou mesmo? — Os olhos de Elena se fixaram no brilho dos flocos de neve. — Não sei...

— Vai aprender com o tempo. Se há uma coisa... boa... no que somos, é o tempo. Temos de sobra, o tempo que quisermos. A eternidade.

— "Alegres companheiros para sempre." Não foi o que Katherine disse a você e Damon? — murmurou Elena.

Ela pôde sentir Stefan enrijecer, percebeu seu afastamento.

— Ela falava de nós três — disse ele. — Eu não.

— Ah, Stefan, por favor, agora não. Eu nem estava pensando em Damon, só na eternidade. Isso me apavora. Tudo nisso me apavora, e às vezes acho que só quero dormir e nunca mais acordar...

Ela se sentia mais segura no abrigo dos braços de Stefan e descobriu que seus novos sentidos eram tão incríveis agora quanto pareciam ser à distância. Elena podia ouvir cada pulsação distinta do coração de Stefan, o sangue correndo por suas veias. E podia sentir o cheiro dele misturado com o cheiro da jaqueta que ele usava, e a neve, e a lã das roupas de Stefan.

— Confie em mim, por favor — sussurrou ela. — Sei que está furioso com Damon, mas procure dar uma chance a ele. Acho que há mais nele do que parece. Quero a ajuda dele para descobrir o Outro Poder, e é *só isso* que quero dele.

Neste momento isto era completamente verdadeiro. Esta noite, Elena não queria nada com a vida de caçadas; a escuridão não tinha apelo para ela. Queria poder estar em casa, sentada diante de uma lareira.

Mas era uma delícia só ficar abraçada desse jeito, mesmo que para isso ela e Stefan tivessem de ficar sentados na neve. O hálito de Stefan era quente enquanto ele beijava sua nuca e ela não sentiu mais o distanciamento de seu corpo.

Também não havia fome, ou pelo menos não do tipo que costumava ter quando eles ficavam próximos desse jeito. Ago-

132 ✦ *Diários do Vampiro – A Fúria*

ra que ela era uma caçadora como ele, a necessidade era diferente, uma necessidade de união, não de sustento. Não importava. Eles perderam uma coisa, mas ganharam outra. Ela *compreendia* Stefan de uma maneira que jamais entendera. E a compreensão de Elena os aproximava ainda mais, até que suas mentes se tocavam, quase se misturando uma na outra. Não era a tagarelice ruidosa de vozes mentais; era uma comunhão profunda e muda. Como se seus espíritos estivessem unidos.

— Eu amo você — disse Stefan em seu pescoço, e ela o abraçou mais forte. Agora ela entendia por que ele teve medo por tanto tempo. Quando a ideia do futuro o aterrorizava, era difícil se comprometer. Porque você não quer arrastar mais ninguém.

Em particular alguém que amava.

— Eu também amo você. — Ela se obrigou a se sentar e recostar, desfeito o estado de espírito tranquilo. — E você vai tentar dar uma chance a Damon, por mim? Vai tentar trabalhar com ele?

— Vou trabalhar com ele, mas não confio nele. Não consigo. Eu o conheço bem demais.

— Às vezes me pergunto se alguém o conhece de verdade. Mas tudo bem, faça como quiser. Talvez a gente possa pedir a ele para seguir Robert amanhã.

— Eu segui a sra. Flowers hoje. — O lábio de Stefan se torceu. — A tarde toda e à noitinha. E sabe o que ela fez?

— O quê?

— Lavou três cargas de roupa... Numa máquina antiga que dava a impressão de que ia explodir a qualquer minuto. Não tinha secadora de roupas, só um compressor de roupa molhada. Tudo no porão. Depois ela saiu e encheu as duas dúzias de alimentadores de pássaros. E então voltou ao porão para lavar vidros de conservas. Ela passa a maior parte do tempo lá embaixo. E fala sozinha.

— Como uma velha caduca — disse Elena. — Tudo bem; talvez Meredith esteja errada e ela seja só isso mesmo. — Ela percebeu a mudança na expressão dele ao ouvir o nome de Meredith e acrescentou: — Que foi?

— Bom, a Meredith pode ter de se explicar. Não perguntei a ela sobre isso; pensei que talvez fosse melhor partir de você. Mas hoje ela foi falar com Alaric Saltzman depois da aula. E não queria que ninguém soubesse onde ela estava indo.

A inquietação se desenrolou dentro de Elena.

— E daí?

— Daí que ela mentiu sobre isso depois... Ou pelo menos fugiu do assunto. Tentei sondar sua mente, mas meus Poderes estão quase esgotados. E ela tem uma vontade férrea.

— E você não tem esse direito! Stefan, me escute. Meredith nunca faria nada para nos prejudicar, nem nos trairia. O que quer que esteja escondendo de nós...

— Então admite que ela está escondendo alguma coisa.

— Sim — disse Elena, relutante. — Mas não é nada que nos prejudique, tenho certeza disso. Meredith é minha amiga desde o primeiro ano... — Sem perceber, Elena deixou que a frase escapasse de seus lábios, mas pensava em outra amiga, íntima desde o jardim de infância. Caroline. Que na semana passada tentou destruir Stefan e humilhar Elena diante de toda a cidade.

134 ✦ *Diários do Vampiro – A Fúria*

E o que o diário de Caroline dizia sobre Meredith? *Meredith não faz nada; ela só olha. É como se não pudesse agir; ela só pode reagir às coisas. Além disso, eu ouvi meus pais falando sobre a família dela — não admira que ela nunca tenha falado neles.*

Os olhos de Elena abandonaram a paisagem repleta de neve para investigar a expressão de expectativa de Stefan.

— Isso não importa — disse ela em voz baixa. — Eu conheço Meredith e confio nela. Vou confiar nela até o fim.

— Espero que ela seja digna disso, Elena — disse ele. — Espero sinceramente.

10

12 de dezembro, manhã de quinta-feira

uerido Diário,
Então, depois de uma semana de trabalho, o que conseguimos?

Bom, conseguimos seguir nossos três suspeitos quase continuamente nos últimos seis ou sete dias. Resultado: informes dos movimentos de Robert na última semana, de que ele passou agindo como um homem de negócios normal. Informes sobre Alaric, que não fez nada de incomum para um professor de história. Informes sobre a sra. Flowers, que pelo visto passa a maior parte do tempo no porão. Mas não soubemos nada de novo.

Stefan disse que Alaric se encontrou com o diretor algumas vezes, mas ele não conseguiu chegar perto o bastante para ouvir o que conversavam. Meredith e Bonnie espalharam a notícia sobre o perigo de outros animais além dos cães. Não precisaram se esforçar muito; parece que todo mundo na cidade já está à beira de um colapso. Foram notificados vários outros ataques de animais, mas é difícil saber quais podem ser levados a sério. O coelho de estimação dos Massases arranhou o filho mais novo deles. A velha sra. Coomber encontrou serpentes no quintal, quando todas as cobras deveriam estar hibernando.

Só tenho certeza do ataque ao veterinário que mantinha os cães em quarentena. Um bando deles o mordeu e a maioria escapou das gaiolas. Depois disso, simplesmente sumiram. As pessoas estão dando graças a Deus e esperam que eles morram de fome no bosque, mas eu duvido disso.

E tem nevado o tempo todo. Não chega a ser uma nevasca, mas também não para. Nunca vi tanta neve.

Stefan está preocupado com o baile de amanhã à noite.

O que nos leva de volta ao seguinte: o que descobrimos até agora? O que sabemos? Nenhum de nossos suspeitos estava perto da casa dos Massases, da sra. Coomber ou do veterinário quando aconteceram os ataques. Não estamos mais perto de encontrar o Outro Poder do que estávamos quando começamos.

A reuniãozinha de Alaric é esta noite. Meredith acha que devemos ir. Não sei mais o que fazer.

Damon esticou as pernas longas e falou preguiçosamente, observando o celeiro.

— Não, não acho que seja particularmente perigoso. Mas não entendo o que você espera conseguir.

— Nem eu, exatamente — admitiu Elena. — Mas não tenho nenhuma ideia melhor. Você tem?

— O que, quer dizer sobre outras maneiras de passar o tempo? Sim, tenho. Quer que eu lhe fale disso? — Elena gesticulou para ele se calar e ele aquiesceu.

— Quero dizer sobre coisas úteis que podemos fazer a essa altura. Robert viajou e a sra. Flowers fica enfiada...

— No porão — entoaram várias vozes.

— E nós estamos todos sentados aqui. *Alguém* tem uma ideia melhor?

Meredith rompeu o silêncio.

— Se está preocupada no risco para mim e para Bonnie, por que vocês *todos* não vão? Quer dizer, não precisam aparecer. Podem se esconder no sótão. Depois, se alguma coisa acontecer, podemos gritar por ajuda e vocês nos ouviriam.

— Não entendo por que alguém gritaria — disse Bonnie. — Não vai acontecer nada lá.

— Bom, talvez não, mas o seguro morreu de velho — disse Meredith. — O que acham?

Elena assentiu devagar.

— Faz sentido. — Ela olhou em volta, procurando objeções, mas Stefan apenas deu de ombros e Damon murmurou alguma coisa que fez Bonnie rir.

— Muito bem, então, está decidido. Nós vamos.

138 ✦ *Diários do Vampiro - A Fúria*

A neve inevitável os recebeu logo na saída do celeiro.

— Bonnie e eu podemos ir no meu carro — disse Meredith. — E vocês três...

— Ah, temos nossos próprios meios — disse Damon com seu sorriso voraz. Meredith assentiu, sem se impressionar. Que gozado, pensou Elena enquanto as outras meninas se afastavam; Meredith nunca *ficava* impressionada com Damon. O charme dele parecia não ter efeito nenhum sobre ela.

Ela estava prestes a falar que sentia fome quando Stefan virou-se para Damon.

— Está disposto a ficar com Elena o tempo todo em que estiver lá? Cada minuto? — disse ele.

— Experimente me impedir — disse Damon, animado. Ele fechou o sorriso. — Por quê?

— Porque, se realmente estiver, os dois podem ir sozinhos, encontrarei vocês depois. Tenho que fazer uma coisa, mas não vai demorar muito.

Elena sentiu uma onda de calor. Stefan tentava confiar no irmão. Ela sorriu para ele, aprovando, enquanto ele a puxava de lado.

— O que é?

— Recebi um bilhete de Caroline hoje. Perguntando se eu me encontraria com ela na escola antes da festa de Alaric. Disse que queria se desculpar.

Elena abriu a boca para fazer uma observação sarcástica, mas a fechou em seguida. Pelo que soube, Caroline andava lamentável ultimamente. E talvez Stefan se sentisse melhor conversando com ela.

— Bom, *você* é que tem de se desculpar — ela disse. — Tudo o que aconteceu com ela foi por sua culpa. Acha que ela representa algum perigo?

— Não; e de qualquer modo usei grande parte de meus Poderes. Não vai haver problemas com ela. Vou me encontrar com Caroline e podemos ir para a casa de Alaric juntos.

— Cuidado — disse Elena enquanto ele partia na neve.

O sótão era como Elena se lembrava, escuro, empoeirado e cheio de formas misteriosas cobertas de encerado. Damon, que tinha entrado de forma mais convencional pela porta da frente, teve de abrir as venezianas para que Elena entrasse pela janela. Depois eles se sentaram lado a lado no colchão velho e ouviram as vozes que vinham pela tubulação de ar.

— Eu podia pensar em ambientes mais românticos — murmurou Damon, tirando com tédio uma teia de aranha da manga da camisa. — Tem certeza de que não prefere...

— Tenho — disse Elena. — Agora cale a boca.

Era como um jogo, ouvir fragmentos de conversas e tentar juntar as peças, tentar combinar cada voz a um rosto.

"Aí eu disse, não ligo se você tem o periquito há muito tempo; livre-se dele ou vou ao Baile da Neve com Mike Feldman. E ele disse..."

"... dizem os boatos que o túmulo do sr. Tanner foi violado na noite passada..."

"... soube que todo mundo, menos Caroline, abandonou o concurso de rainha da neve? Não acha..."

140 ✦ *Diários do Vampiro – A Fúria*

"... morta, mas estou lhe dizendo que eu a *vi*. E não, eu não estava sonhando; ela estava com uma espécie de vestido prateado e o cabelo era todo dourado, e soprava no vento..."

Elena ergueu as sobrancelhas para Damon, depois olhou incisivamente para a roupa preta que vestia. Ele fez uma careta.

— Romantismo — disse ele. — Eu mesmo prefiro você de preto.

— Bom, você prefere mesmo, não é? — murmurou ela. Era estranho como ultimamente se sentia mais à vontade com Damon. Ela ficou sentada em silêncio, deixando que a conversa fluísse em volta, quase perdendo o fio da meada. Depois pegou uma voz conhecida, contrariada e mais próxima do que as demais.

"Tá legal, tá legal, eu *vou*. Tá bom."

Elena e Damon trocaram um olhar, levantando-se quando a maçaneta da porta do sótão girou. Bonnie espiou pela fresta.

— Meredith me disse para vir aqui em cima. Não sei por quê. Ela monopolizou Alaric e essa festa está uma porcaria. Saco!

Ela se sentou no colchão e depois de alguns minutos Elena voltou a se sentar, ao lado dela. Começava a desejar que Stefan estivesse ali. Mas quando a porta se abriu novamente e Meredith entrou, ela teve certeza.

— Meredith, o que está havendo?

— Nada, ou pelo menos nada que possa nos preocupar. Cadê o Stefan? — O rosto de Meredith estava incomumente corado e havia uma expressão estranha em seus olhos, como se ela estivesse tentando controlar alguma coisa com esforço.

— Ele virá mais tarde... — começou Elena, mas Damon interrompeu.

— Não importa onde ele está. Quem está subindo a escada?

— Como assim, "quem está subindo a escada"? — disse Bonnie, levantando-se.

— Todo mundo fique *calmo* — disse Meredith, assumindo posição diante da janela, como se a protegesse. Ela mesma não parecia nada calma, pensou Elena. — Tudo bem — chamou ela, e a porta se abriu, entrando Alaric Saltzman.

A reação de Damon foi tão suave que nem os olhos de Elena conseguiram acompanhar; em um só movimento, ele pegou o pulso de Elena e a puxou para trás, ao mesmo tempo colocando-se bem em frente a Alaric. Terminou numa postura agachada de predador, cada músculo tenso e pronto para atacar.

— Ah, não — exclamou Bonnie, desesperada. Ela voou para Alaric, que já começara a se afastar um passo de Damon. Alaric quase perdeu o equilíbrio e tateou a porta atrás dele. A outra mão segurava seu cinto.

— Pare! Pare! — disse Meredith. Elena viu a protuberância atrás do casaco de Alaric e percebeu que era uma arma.

De novo ela não conseguiu acompanhar o que aconteceu. Damon soltou seu pulso e pegou o de Alaric. Depois Alaric estava sentado no chão, aparvalhado, e Damon esvaziava o tambor da arma, bala por bala.

— Eu lhe *disse* que era idiotice e que você não precisava disso — disse Meredith. Elena percebeu que segurava a menina de cabelos pretos pelos braços. Deve ter feito isso para

142 ✦ *Diários do Vampiro – A Fúria*

impedir que Meredith interferisse com Damon, mas não se lembrava.

— Essas coisas com ponta de madeira são desagradáveis; podem machucar alguém — disse Damon, numa repreensão branda. Ele recolocou um dos cartuchos e fechou o tambor, mirando pensativamente em Alaric.

— Pare! — exclamou Meredith. Ela se virou para Elena.

— Faça-o parar, Elena; ele só está piorando as coisas. Alaric não ia machucar você; eu garanto. Passei a semana toda convencendo-o de que *você* não *o* machucaria.

— E agora acho que meu pulso está quebrado — disse Alaric, com muita calma, o cabelo louro caído nos olhos.

— Só pode culpar a si mesmo — retorquiu Meredith, com amargura. Bonnie, que tinha ficado montada ansiosamente nos ombros de Alaric, olhou a familiaridade do tom de Meredith, depois recuou alguns passos e se sentou.

— Estou morrendo de vontade de ouvir uma explicação para *isto* — disse ela.

— Confie em mim, por favor — disse Meredith a Elena.

Elena olhou em seus olhos escuros. Ela confiava em Meredith; tinha de confiar. E as palavras trouxeram outra lembrança, sua própria voz pedindo pela confiança de Stefan. Ela assentiu.

— Damon? — disse ela. Ele girava o revólver despreocupadamente e sorriu para todos, deixando muito claro que não precisava de nenhuma arma artificial.

— Agora, se todos ouvirem, todos vão entender — disse Meredith

— Ah, tenho *certeza* que sim — disse Bonnie.

Elena andou até Alaric Saltzman. Não tinha medo dele, mas pelo modo como ele só olhava para ela, lentamente, subindo a partir dos pés, ele tinha medo dela.

Elena parou quando estava a um metro de Alaric e se ajoelhou ali, olhando-o no rosto.

— Oi — disse ela.

Ele ainda segurava o pulso.

— Oi — disse ele, e engoliu a seco.

Elena olhou para Meredith e de novo para Alaric. Sim, ele estava com medo. E com o cabelo nos olhos daquele jeito, ele parecia novo. Talvez quatro anos mais velho do que Elena, talvez cinco. Não mais do que isso.

— Não vamos machucar você — disse ela.

— Foi o que disse a ele o tempo todo — falou Meredith em voz baixa. — Expliquei que independente do ele tenha visto, qualquer história que tenha ouvido, você é diferente. Eu disse o que você me contou sobre Stefan, como ele reprime sua natureza em todos esses anos. Contei sobre o que você passou, Elena, e que nunca pediu por isso.

Mas *por que* contou tanta coisa a ele?, pensou Elena. Mas falou com Alaric:

— Tudo bem, você sabe da gente. Mas todos nós sabemos que você não é professor de história.

— Ele é um caçador — disse Damon suavemente, num tom de ameaça. — Um caça-vampiros.

— *Não* — disse Alaric. — Pelo menos não no sentido que pretendeu dar. — Ele parecia chegar a uma decisão. — Muito

144 ✦ *Diários do Vampiro – A Fúria*

bem. Pelo que sei de vocês três... — Ele se interrompeu, olhando o sótão escuro como se de repente percebesse alguma coisa.

— Onde está Stefan?

— Está vindo. Na realidade, deveria estar aqui agora. Ia passar na escola para pegar Caroline — disse Elena. Ela não estava preparada para a reação de Alaric.

— Caroline Forbes? — disse ele asperamente, sentando-se ereto. Sua voz parecia a mesma de quando ela o ouviu falando com o dr. Feinberg e o diretor, tensa e decidida.

— Sim. Ela mandou para ele um bilhete hoje, disse que queria se desculpar ou coisa assim. Queria se encontrar com ele na escola antes da festa.

— Ele não pode ir. Vocês têm de impedi-lo. — Alaric se colocou de pé com dificuldade e repetiu com urgência: — Vocês precisam impedi-lo.

— Ele já foi. Por quê? Por que ele não deveria ir? — perguntou Elena.

— Porque eu hipnotizei Caroline há dois dias. Tentei antes com Tyler, mas não tive sorte. Mas Caroline é uma boa paciente e se lembrou um pouco do que aconteceu no barracão. E identificou Stefan Salvatore como o agressor.

O silêncio de choque durou apenas uma fração de segundo. Depois Bonnie disse:

— Mas o que Caroline pode fazer? Ela não pode feri-lo...

— Não entende? Você não está lidando mais só com estudantes — disse Alaric. — Vai muito além disso. O pai de Caroline sabe, e o pai de Tyler também. Eles estão preocupados com a segurança da cidade...

— Silêncio! Fiquem quietos! — Elena esquadrinhava a própria mente, tentando pegar alguma pista da presença de Stefan. Ele se deixou enfraquecer, pensou ela, com a parte dela que era de uma calma gélida em meio ao medo e ao pânico tumultuado. Por fim sentiu alguma coisa, apenas um vestígio, mas pensou que era Stefan. E estava atormentado.

— Tem algo errado — confirmou Damon, e ela percebeu que ele também devia estar sondando, com uma mente muito mais poderosa do que a dela. — Vamos.

— Espere, vamos conversar primeiro. Não podem saltar de cara nisso. — Mas Alaric podia muito bem estar falando com o vento, tentando refrear seu poder destrutivo com palavras. Damon já estava na janela e no instante seguinte Elena se jogou por ali, pousando ao lado de Damon na neve. A voz de Alaric os seguiu de cima.

— Nós também vamos. *Esperem* por nós lá. Vamos falar com eles primeiro. Eu posso cuidar disso...

Elena mal o ouviu. Sua mente ardia com um só propósito, um só pensamento. Machucar as pessoas que queriam ferir Stefan. A verdade é que tudo já foi longe demais, pensou ela. E agora *eu* vou mais longe ainda. Se eles tiverem a audácia de tocar em Stefan... Imagens lampejaram por sua mente — rápidas demais para contar — do que ela faria com eles. Em outra hora, ela podia ter ficado chocada com a onda de adrenalina, com a empolgação que tomava seus pensamentos.

Elena podia sentir a mente de Damon logo atrás dela enquanto eles disparavam pela neve; era como um clarão vermelho de fúria. A ferocidade dentro de Elena acolheu bem a neve,

146 ✦ *Diários do Vampiro - A Fúria*

feliz por senti-la tão perto. Mas depois ocorreu outra coisa a ela.

— Estou retardando você — disse Elena. Ela não estava sem fôlego, nem de correr pela neve intacta, e eles eram extraordinariamente rápidos; mas nada com duas pernas, ou quatro, podia se equiparar à velocidade das asas de um pássaro.

— Vá — disse ela. — Chegue lá o mais rápido que puder. Encontro você lá.

Ela não ficou para ver o borrão e o tremor no ar, ou o redemoinho de escuridão que terminou com asas batendo apressadas. Mas viu o corvo no alto, subindo, e ouviu a voz mental de Damon.

Boa caçada, disse ele, e a forma sombria e alada disparou para a escola como uma flecha.

Boa caçada, pensou Elena atrás dele, e era sincera. Ela dobrou a velocidade, a mente fixa na centelha da presença de Stefan.

Stefan estava deitado de costas, desejando que a visão não estivesse tão embaçada ou que ele pudesse se agarrar um pouco mais à consciência. O borrão era parcialmente dor e em parte neve, mas também havia um filete de sangue da ferida de oito centímetros no couro cabeludo.

Ele foi idiota, é evidente, por não dar uma olhada na escola; se tivesse feito isso, teria visto os carros escuros estacionados do outro lado. Ele foi idiota por vir aqui, antes de tudo. E agora ia pagar por sua idiotice.

Se ao menos pudesse organizar os pensamentos o suficiente para chamar por ajuda... Mas a fraqueza que permitira a esses homens dominarem-no com tanta facilidade também impedia isso. Ele mal se alimentou desde a noite em que atacou Tyler. De certo modo, era uma ironia. Sua própria culpa era responsável pela confusão em que se metera.

Eu nunca devia ter tentado mudar minha natureza, pensou ele. No final das contas, Damon tinha razão. Todo mundo era igual — Alaric, Caroline, todo mundo. Todo mundo um dia o traía. Eu devia tê-los caçado a todos e desfrutado disso.

Ele tinha esperanças de que Damon cuidasse de Elena. Ela ficaria em segurança com ele; Damon era forte e impiedoso. Ensinaria ela a sobreviver. Stefan estava feliz com isso.

Mas algo dentro dele chorava.

Os olhos afiados do corvo localizaram os fachos entrecruzados de faróis no solo e desceram. Mas Damon não precisava confirmar nada pela visão; era guiado pela pulsação fraca, a força vital de Stefan. Fraca porque Stefan estava fraco e porque ele não tinha desistido.

Você nunca aprende, não é, irmão?, pensou Damon para ele. *Eu devia deixar você onde está.* Mas mesmo enquanto deslizava ao chão, ele estava mudando, assumindo uma forma que seria ainda mais perigosa do que um corvo.

O lobo preto saltou sobre o grupo de homens que cercavam seu irmão, mirando precisamente o que segurava um cilindro afiado de madeira acima do peito de Stefan. A força do golpe lançou o homem três metros para trás e a estaca caiu, ricocheteando na grama. Damon reprimiu seu impulso — mais forte, porque ele incorporava aos instintos da forma

148 ✦ *Diários do Vampiro – A Fúria*

que assumira — de cravar os dentes no pescoço do homem. Girou o corpo e se voltou para o outro homem que ainda estava de pé.

Sua segunda investida os dispersou, mas um deles chegou à beira da luz e se virou, erguendo uma coisa no ombro. Um rifle, pensou Damon. E provavelmente carregado com as mesmas balas especiais da arma de Alaric. Não havia como chegar ao homem antes que ele apertasse o gatilho. O lobo rosnou e se agachou para se afastar num salto. A cara carnuda do homem se vincou num sorriso.

Rápida como o bote de uma cobra, a mão branca saiu da escuridão e lançou o rifle para longe. O homem olhou em volta, frenético, confuso, e o lobo deixou a mandíbula se abrir num sorriso. Elena tinha chegado.

11

Elena viu o rifle do sr. Smallwood quicar na grama. Gostou da expressão que ele demonstrava enquanto girava o corpo, procurando o que derrubara a arma. E ela sentiu a chama de aprovação de Damon, do outro lado da poça de luz, feroz e quente como o orgulho de um lobo pela primeira vítima de seu filhote. Mas quando viu Stefan de relance deitado no chão, esqueceu-se de todo o resto. Uma fúria pura tirou seu fôlego e ela partiu na direção dele.

— Parem todos! Parem onde estiverem!

O grito chegou a eles com o som de pneus cantando. O carro de Alaric Saltzman quase rodou ao entrar no estacionamento dos funcionários e parou num guincho, e Alaric saltou do carro quase antes que ele tivesse parado inteiramente.

— O que está havendo aqui? — perguntou ele, andando na direção dos homens.

150 ✦ *Diários do Vampiro – A Fúria*

Ao ouvir o grito, Elena recuou automaticamente para as sombras. Agora observava a expressão dos homens que se viravam para Alaric. Além do sr. Smallwood, reconheceu o sr. Forbes e o sr. Bennett, pai de Vickie Bennett. Os outros deviam ser pais dos outros meninos que estavam com Tyler no barracão, pensou ela.

Foi um dos estranhos que respondeu à pergunta, numa voz arrastada que não escondia o nervosismo.

— Neste momento só estamos meio cansados de esperar. Decidimos apressar um pouco as coisas.

O lobo rosnou, um ronco grave que subiu a um grunhido de serra elétrica. Todos os homens se encolheram e os olhos de Alaric se arregalaram ao se depararem com o animal pela primeira vez.

Houve outro barulho, mais suave e contínuo, vindo de uma figura agachada ao lado de um dos carros. Caroline Forbes gemia sem parar:

— Eles disseram que só queriam conversar com ele. Não me disseram o que iam fazer.

Alaric, de olho no lobo, gesticulou para ela.

— E vocês iam deixar que ela visse *isso*? Uma menina? Não percebem os danos psicológicos que poderiam causar?

— E quanto aos danos psicológicos quando a garganta dela fosse cortada? — retorquiu o sr. Forbes, provocando gritos de aquiescência. — É com *isso* que estamos preocupados.

— Então é melhor se preocuparem em pegar o homem certo — disse Alaric. — Caroline — acrescentou ele, virando-se para a menina —, quero que pense, Caroline. Não chegamos a terminar nossas sessões. Sei que quando saí de lá você pensou ter reconhecido Stefan. Mas tem certeza absoluta de que era ele? Podia ser outra pessoa, alguém parecido com ele?

Caroline endireitou o corpo, encostando-se no carro e erguendo o rosto lacrimoso. Olhou para Stefan, que se sentava, depois para Alaric.

— Eu...

— Pense bem, Caroline. Precisa ter certeza absoluta. Há mais alguém que pode ter estado lá, como...

— Como o cara que diz ser Damon Smith — veio a voz de Meredith. Ela estava parada ao lado do carro de Alaric, uma sombra magra. — Lembra dele, Caroline? Ele foi à primeira festa de Alaric. De alguma forma, ele era meio parecido com Stefan.

A tensão manteve Elena em suspenso enquanto Caroline olhava, sem compreender. Depois, aos poucos, a menina ruiva começou a assentir.

— Sim... Pode ter sido, acho que sim. Tudo foi tão rápido... Mas pode ter sido ele.

— E não pode ter certeza absoluta de quem era? — disse Alaric.

— Não... Certeza absoluta, não.

— Aí está — disse Alaric. — Eu disse a vocês que ela precisava de mais sessões, que ainda não podíamos ter certeza de nada. Ela ainda está muito confusa. — Ele andava com cuidado até Stefan. Elena percebeu que o lobo tinha recuado para as sombras. Ela podia vê-lo, mas era provável que os homens não o vissem.

152 ✦ *Diários do Vampiro – A Fúria*

O desaparecimento do animal os deixou mais agressivos.

— Do que está falando? Quem é esse Smith? Nunca o vi.

— Mas sua filha Vickie deve tê-lo visto, sr. Bennett — disse Alaric. — Isso pode aparecer em minha próxima sessão com ela. Vamos conversar sobre isso amanhã; este assunto pode esperar. Neste momento acho melhor levar Stefan a um hospital. — Houve um remexer de desconforto em alguns dos homens.

— Ah, mas é claro, e enquanto isso esperamos alguma coisa acontecer — começou o sr. Smallwood. — A qualquer hora, em qualquer lugar...

— Então resolveu fazer justiça com as próprias mãos? — disse Alaric. Sua voz ficou mais incisiva. — Mesmo que você consiga pegar o suspeito, que provas tem de que este rapaz tem poderes sobrenaturais? Quais são suas provas? Ele opôs tanta resistência assim?

— Tem um lobo em algum lugar por aí que opôs muita resistência — disse o sr. Smallwood, vermelho. — Talvez eles estejam juntos nisso.

— Não vi lobo nenhum. Vi um cachorro. Talvez um dos cães que saíram da quarentena. Mas o que isso tem a ver? Estou lhe dizendo que, em minha opinião profissional, pegamos o homem errado.

Os homens hesitavam, mas ainda havia dúvida estampada em seus rostos. Meredith falou.

— Acho que devem saber que já houve ataques de vampiros nesta região — disse ela. — Muito tempo antes de Stefan vir para cá. Meu avô foi uma vítima. Talvez alguns de vocês tenham ouvido falar nisso. — Ela olhou para Caroline.

Foi o fim de tudo. Elena podia ver os homens trocarem olhares inquietos e voltarem para os carros. De repente, todos pareciam ansiosos para estar em outro lugar.

O sr. Smallwood foi um dos que permaneceram lá para falar.

— Você disse que íamos conversar sobre isso amanhã, Saltzman. Quero ouvir o que meu filho dirá da próxima vez em que *ele* for hipnotizado.

O pai de Caroline a pegou e entrou rapidamente em seu carro, murmurando alguma coisa sobre tudo ser um equívoco e ninguém levar nada muito a sério.

Quando o último carro se afastava, Elena correu para Stefan.

— Você está bem? Eles o feriram?

Ele se afastou do braço de Alaric, que o sustentava.

— Alguém me bateu por trás enquanto eu ia conversar com Caroline. Eu vou ficar bem... Agora. — Ele olhou para Alaric. — Obrigado. Por quê?

— Ele está do nosso lado — disse Bonnie, juntando-se a eles. — Eu disse a você. Ah, Stefan, você está bem mesmo? Pensei que ia desmaiar bem ali. Eles não falavam a sério. Quer dizer, eles não podiam realmente estar falando a *sério*...

— Sério ou não, não acho que a gente deva ficar aqui — disse Meredith. — Stefan precisa mesmo ir a um hospital?

— Não — disse Stefan, enquanto Elena examinava ansiosamente o corte que ele tinha na cabeça. — Só preciso descansar. Um lugar para me sentar.

154 ✦ *Diários do Vampiro – A Fúria*

— Estou com minhas chaves. Vamos para a sala de história — disse Alaric.

Bonnie olhava as sombras com apreensão.

— O lobo também? — disse ela, depois deu um pulo quando uma sombra se precipitou e se transformou em Damon.

— Que lobo? — disse ele. Stefan virou-se de leve, estremecendo.

— Obrigado a você também — disse ele sem emoção. Mas os olhos de Stefan se demoraram no irmão enquanto o grupo ia para o prédio da escola.

No corredor, Elena o puxou de lado.

— Stefan, *por que* não percebeu que eles vinham por trás? Por que está tão fraco?

Stefan sacudiu a cabeça, evasivo, e ela acrescentou:

— Quando se alimentou pela última vez? Stefan, *quando*? Você sempre dá uma desculpa quando estou por perto. O que está tentando fazer consigo mesmo?

— Estou bem — disse ele. — É verdade, Elena. Vou caçar mais tarde.

— *Promete*?

— Prometo.

Naquele momento não ocorreu a Elena que eles não concordavam com o que significava "mais tarde". Ela deixou que ele andasse na frente dela no corredor.

Aos olhos de Elena, a sala de história parecia diferente à noite. Havia uma atmosfera estranha, como se as luzes fossem fortes demais. Agora todas as carteiras dos alunos foram empurradas de lado e cinco cadeiras puxadas para perto da mesa de Alaric. Alaric, que tinha acabado de arrumar os móveis, insistiu que Stefan usasse sua cadeira acolchoada.

— Muito bem, por que não nos sentamos todos?

Eles o olharam. Depois de um momento, Bonnie afundou numa cadeira, mas Elena ficou de pé ao lado de Stefan. Damon continuou reclinado entre o grupo e a porta e Meredith empurrou alguns papéis no meio da mesa de Alaric e se empoleirou no canto.

O professor parecia ter sumido dos olhos de Alaric.

— Muito bem — disse ele, e se sentou em uma das cadeiras dos alunos. — Muito bem.

— Muito bem — disse Elena.

Todos se olharam. Elena tirou um algodão do kit de primeiros socorros que pegou perto da porta e começou a passar na cabeça de Stefan.

— Acho que está na hora daquela explicação — disse ela,

— É verdade. Sim. Bom, parece que todos vocês adivinharam que eu não sou professor de história...

— Bastaram cinco minutos — disse Stefan. Sua voz era baixa e perigosa, e com um sobressalto Elena percebeu que lembrava a voz de Damon. — E então, quem é você?

Alaric fez um gesto de quem se desculpa e disse, quase desconfiado:

— Psicólogo. Não do tipo do divã — acrescentou ele apressadamente enquanto os outros trocavam olhares. — Sou pesquisador, psicólogo experimental. Da Duke University. Sabe como é, onde começaram os experimentos de percepção extrassensorial.

156 ✦ *Diários do Vampiro – A Fúria*

— Aquelas em que fazem você adivinhar o que está na carta sem olhar para ela? — perguntou Bonnie.

— Sim, bem, é claro que atualmente vai um pouco além disso. Mas eu adoraria testar você com as cartas Rhine, em especial quando você está num de seus transes. — O rosto de Alaric se iluminou de curiosidade científica. Depois ele deu um pigarro e continuou. — Mas... Ah... Como eu estava dizendo, comecei alguns anos atrás quando escrevi um artigo sobre parapsicologia. Eu não tentava provar que existiam poderes sobrenaturais, só queria estudar quais eram seus efeitos psicológicos sobre as pessoas que os tinham. A Bonnie aqui é um caso para estudo. — A voz de Alaric assumiu um tom professoral. — O que acontece com ela, mental e emocionalmente, por ter de lidar com esses poderes?

— É horrível — Bonnie interrompeu com veemência. — Eu não os quero mais. Eu os *odeio*.

— Ora, estão vendo? — disse Alaric. — Você daria um ótimo caso de estudo. Meu problema era que eu não conseguia encontrar ninguém com poderes psíquicos verdadeiros para examinar. Havia muitos charlatães... Curandeiros com cristais, rabdomantes, médiuns, deem o nome que quiserem. Mas não consegui encontrar nada de genuíno até receber uma dica de um amigo do departamento de polícia.

"Havia uma mulher na Carolina do Sul que afirmava ter sido mordida por um vampiro e desde então tinha pesadelos paranormais. Na época eu estava tão acostumado com charlatães que esperava que ela também fosse uma. Mas não era, pelo menos não fingiu sobre a mordida. Nunca pude provar que ela era realmente paranormal."

— Como teve certeza de que ela foi mordida?

— Havia evidências clínicas. Vestígios de saliva semelhante à saliva humana nas feridas... Mas não idêntica. Continha um agente anticoagulante parecido com o que encontramos na saliva de sanguessugas... — Alaric caiu em si e se apressou. — De qualquer forma, eu tive certeza. E foi assim que começou. Depois de me convencer de que alguma coisa realmente aconteceu com aquela mulher, comecei a procurar por outros casos parecidos. Não havia muitos, mas existiam. Pessoas que tiveram contato com vampiros.

"Larguei todos os meus outros estudos e me concentrei em descobrir vítimas de vampiros e examiná-las. E pensando bem, eu me tornei o maior especialista da área", concluiu Alaric com humildade. "Escrevi vários artigos..."

— Mas nunca viu um vampiro de verdade — interrompeu Elena. — Quer dizer, até agora. É isso?

— Bom... não. Não em carne e osso, por assim dizer. Mas escrevi teses... e outras coisas. — Sua voz falhou.

Elena mordeu o lábio.

— O que estava fazendo com os cães? — perguntou ela. — Na igreja, quando agitava as mãos para eles.

— Ah... — Alaric ficou constrangido. — Aprendi umas coisas aqui e ali, sabe como é. Aquilo era um encantamento que um velho nas montanhas me mostrou para afastar o mal. Pensei que podia funcionar.

— Você tem muito o que aprender — disse Damon.

158 ✦ *Diários do Vampiro – A Fúria*

— É óbvio — disse Alaric, rigidamente. Depois fez uma careta. — Na verdade, deduzi isso logo depois de vir para cá. O diretor da escola, Brian Newcastle, ouviu falar de mim. Ele sabia sobre os meus estudos. Quando Tanner foi morto e o sr. Feinberg encontrou lacerações feitas por dentes no pescoço e não havia sangue no corpo... Bom, ele me telefonou. Pensei que seria uma tremenda oportunidade para mim... Um caso de vampiro ainda nesta região. O único problema era que depois que cheguei aqui, percebi que esperavam que *eu* cuidasse do vampiro. Eles não sabiam que antes eu só tinha lidado com as vítimas. E... Bom, talvez estivesse além de minha capacidade. Mas fiz o máximo que pude para justificar a confiança deles...

— Você fingiu — Elena o acusou. — Era o que estava fazendo quando eu o ouvi falando com eles em sua casa sobre descobrir nossa suposta toca e coisas assim. Você só estava embromando.

— Bom, não *inteiramente* — disse Alaric. — Em teoria, eu *sou* um especialista. — Depois ele pensou melhor. — Mas do que você está falando, quando me ouviu falar com eles?

— Enquanto você procurava uma toca, ela dormia no seu sótão — informou Damon a ele secamente. Alaric abriu a boca e a fechou de novo.

— O que eu gostaria de saber é como Meredith entra em tudo isso — disse Stefan. Ele não sorria.

Meredith, que ficou o tempo todo olhando pensativamente a papelada na mesa de Alaric, levantou a cabeça. Ela falou tranquilamente, sem emoção.

— Eu o reconheci. Não conseguia lembrar onde o tinha visto, porque já fazia quase três anos. Depois percebi que foi no hospital do meu avô. O que eu disse àqueles homens era verdade, Stefan. Meu avô foi atacado por um vampiro.

Houve um silêncio curto e Meredith continuou.

— Aconteceu há muito tempo, antes de eu nascer. Ele não foi muito ferido, mas nunca mais ficou bem. Ele ficou... Bom, meio parecido com Vickie, só que mais violento. Chegou a um ponto em que tivemos medo de que ele se machucasse, ou ferisse outra pessoa. Então levaram meu avô para um hospital, um lugar em que estaria seguro.

— Uma instituição psiquiátrica — disse Elena. Ela sentiu uma pontada de solidariedade pela amiga. — Ah, Meredith. Mas por que não disse nada? Podia ter contado pra gente.

— Eu sei. Eu podia... mas não consegui. A família guarda esse segredo há tanto tempo... Ou tentou guardar. Pelo que Caroline escreveu em seu diário, ela obviamente soube. O caso é que ninguém mais acreditava nas histórias do meu avô sobre o vampiro. Só pensavam que era outro de seus delírios, e ele tinha muitos. Nem eu acreditava nelas... Até Stefan vir para cá. E depois... Sei lá, minha mente começou a juntar as peças. Mas eu não *acreditava* realmente no que estava pensando até você voltar, Elena.

— É uma surpresa que não tenha me odiado — disse Elena com brandura.

— Como poderia? Eu *conheço* você, e conheço Stefan. Sei que não são maus. — Ela nem olhou para Damon; ele podia muito bem não estar presente, a julgar pelo reconhecimento

160 ✦ *Diários do Vampiro – A Fúria*

de Meredith. — Mas quando me lembrei de ver Alaric falando com meu avô no hospital, eu sabia que *ele* também não era mau. Simplesmente não sabia muito bem como reunir vocês todos para provar isso.

— Eu também não a reconheci — disse Alaric. — O velho tinha um nome diferente... Ele é pai da sua mãe, não é? E eu posso ter lhe visto andando pela sala de espera vez ou outra, mas você era apenas uma criança de pernas finas. Mudou bastante — acrescentou ele, num tom elogioso.

Bonnie tossiu, um som incisivo.

Elena tentava organizar as coisas em sua mente.

— E o que aqueles homens estavam fazendo com uma estaca se você não disse isso a eles?

— Tive de pedir permissão aos pais de Caroline para hipnotizá-la, é claro. E contei a eles o que descobri. Mas se está pensando que tive algo a ver com o que aconteceu esta noite, está enganada. Eu nem sabia sobre isso.

— Eu contei a ele sobre o que estávamos fazendo, que procurávamos pelo Outro Poder — disse Meredith. — E ele quis ajudar.

— Eu disse que *podia* ajudar — disse Alaric com cautela.

— Errado — disse Stefan. — Você nem está conosco, nem contra nós. Estou grato pelo que fez lá fora, falando com aqueles homens, mas ainda temos o fato de que foi você que começou grande parte desse problema, antes de mais nada. Agora precisa decidir: está do nosso lado... ou do deles?

Alaric olhou cada um dos presentes, o olhar fixo de Meredith e as sobrancelhas erguidas de Bonnie, Elena ajoelhada no chão e o couro cabeludo já quase curado de Stefan. Depois voltou o olhar para Damon, que estava encostado na parede, sombrio e melancólico.

— Vou ajudar — disse ele por fim. — Mas que diabos... Esta será minha tese final.

— Muito bem, então — disse Elena. — Está dentro. Agora, e quanto ao sr. Smallwood amanhã? E se ele quiser que você hipnotize Tyler de novo?

— Vou enrolar o homem — disse Alaric. — Não vai funcionar para sempre, mas ganharei algum tempo. Vou dizer a ele que tenho de ajudar no baile...

— Espere — disse Stefan. — Não devia *haver* um baile, não se houver uma maneira de evitar. Você se entende bem com o diretor; pode conversar com o conselho escolar. Faça com que cancelem.

Alaric ficou sobressaltado.

— Acha que vai acontecer alguma coisa?

— Sim — disse Stefan. — Não somente devido ao que aconteceu no evento público anterior, mas porque alguma coisa está em formação. Vem crescendo a semana toda; posso sentir.

— Eu também posso — disse Elena. Ela só percebeu isso naquele momento, mas a tensão que sentia, a sensação de urgência, não vinha de dentro. Vinha de fora, estava em volta dela. O ar se adensava com isso. — Vai acontecer alguma coisa, Alaric.

Alaric soltou o ar num assovio baixo.

162 ✦ *Diários do Vampiro – A Fúria*

— Bom, posso tentar convencê-los, mas... Não sei. O diretor quer por força que tudo pareça normal. E eu nem posso dar nenhuma explicação racional para que cancelem tudo.

— *Tente* — disse Elena.

— Vou tentar. Nesse meio-tempo, talvez você deva pensar em se proteger. Se o que Meredith disse é verdade, a maior parte dos ataques aconteceu com você ou com pessoas próximas a você. O *seu* namorado foi jogado num poço; seu carro foi perseguido no rio; seu funeral foi interrompido. Meredith disse que até a sua irmã foi ameaçada. Se vai acontecer alguma coisa amanhã, pode ser melhor você deixar a cidade.

Foi a vez de Elena se assustar. Ela nunca pensou nos ataques dessa maneira, mas era verdade. Ela ouviu Stefan inspirar e sentiu os dedos dele se apertarem nos dela.

— Ele tem razão — disse Stefan. — Precisa ir embora, Elena. Posso ficar aqui até que...

— *Não*. Não vou sem você. E — continuou Elena, devagar, pensando — não vou *a lugar nenhum* até que encontremos o Outro Poder e o detenhamos. — Ela olhou para ele com seriedade, agora falando mais rápido. — Ah, Stefan, não está vendo, ninguém mais tem a menor chance contra ele. O sr. Smallwood e seus amigos não têm a menor ideia do que fazer. Alaric acha que pode combatê-lo só agitando as mãos. *Ninguém* sabe contra o que está lutando. Somos os únicos que podemos ajudar.

Ela podia ver a resistência nos olhos de Stefan e senti-la na tensão de seus músculos. Mas enquanto o fitava, viu suas objeções ruírem, uma por uma. Pelo simples motivo de que era verdade e Stefan odiava mentir.

— Muito bem — disse ele por fim, com dificuldade. — Mas assim que tudo isso acabar, vamos embora. Não deixarei você ficar numa cidade em que justiceiros andam por aí com estacas.

— Sim. — Elena retribuiu a pressão de seus dedos. — Depois que tudo terminar, nós iremos.

Stefan virou-se para Alaric.

— E se não houver uma maneira de convencê-los a cancelar o baile de amanhã, acho que devemos ficar bem atentos. Se alguma coisa acontecer, podemos impedir antes que tudo saia de controle.

— É uma boa ideia — disse Alaric, empertigando-se. — Podemos nos encontrar nesta sala, amanhã, depois do anoitecer. Ninguém vem aqui. Podemos vigiar a noite toda.

Elena lançou um olhar de dúvida para Bonnie.

— Bom... Significaria perder o baile... Para os que podem ir, quer dizer.

Bonnie se aprumou.

— Ah, quem liga para perder um *baile*? — disse ela, indignada. — Que importância tem um *baile* para alguém?

— É verdade — disse Stefan. — Estão está combinado. — Um espasmo de dor pareceu tomá-lo e ele estremeceu, baixando a cabeça. Elena de pronto ficou preocupada.

— Precisa ir para casa descansar — disse ela. — Alaric, pode nos levar de carro? Não fica tão longe.

Stefan protestou que estava bem para ir andando, mas no fim cedeu. No pensionato, depois que Stefan e Damon saíram

164 ✦ *Diários do Vampiro – A Fúria*

do carro, Elena se encostou na janela de Alaric para fazer uma última pergunta. Corroía sua mente desde que Alaric lhes contou a história.

— Sobre aquelas pessoas que tiveram contato com vampiros — disse ela. — Que efeitos psicológicos tiveram? Quer dizer, elas enlouqueceram ou tinham pesadelos? Alguma delas está bem?

— Depende do indivíduo — disse Alaric. — E do número de contatos que teve, que tipo de contato foi. Mas depende principalmente da personalidade da vítima, até que ponto a mente da pessoa pode lidar com isso.

Elena assentiu e ficou em silêncio até que as luzes do carro de Alaric foram tragadas no ar coberto de neve. Depois se virou para Stefan.

— Matt.

12

Stefan olhou para Elena, os cristais de neve pontilhando o cabelo escuro.

— O que tem o Matt?

— Eu me lembro... de uma coisa. Não está claro. Mas naquela primeira noite, quando eu estava descontrolada... Eu vi o Matt? Será que eu...

O medo e uma sensação nauseante de desânimo encheram a garganta de Elena e interromperam suas palavras. Mas ela não precisava terminar e Stefan não precisou responder. Elena viu nos olhos dele.

— Era o único jeito, Elena — disse ele. — Você teria morrido sem sangue humano. Preferia ter atacado alguém relutante, feri-lo, talvez matá-lo? A necessidade pode levar você a fazer isso. Era o que queria que tivesse acontecido?

— *Não* — disse Elena enfaticamente. — Mas tinha de ser o Matt? Ah, não responda; também não consigo pensar em mais ninguém. — Ela respirou trêmula. — Mas agora estou preocupada com ele, Stefan. Não o vejo desde aquela noite. Ele está bem? O que ele te disse?

— Não muito — disse Stefan, virando o rosto. — Essencialmente, "Me deixe em paz". Ele também negou que alguma coisa aconteceu naquela noite e disse que você estava morta.

— Parece uma daquelas pessoas que não conseguem lidar com o problema — comentou Damon.

— Ah, cale essa boca! — disse Elena. — Fique fora disso e, enquanto reflete, poderia pensar na coitada da Vickie Bennett. Como acha que *ela* tem estado ultimamente?

— Seria bom saber quem é essa Vickie Bennett. Vocês vivem falando nela, mas não conheço a garota.

— Conhece, sim. Não faça seus joguinhos comigo, Damon... No cemitério, lembra? Na igreja em ruínas? A menina que você deixou vagando por ali só de corpete?

— Desculpe, não. E em geral eu *me lembro* de meninas que deixo vagando por aí só de corpete.

— Então deve ter sido Stefan — disse Elena com sarcasmo.

A raiva brilhou nos olhos de Damon, rapidamente encoberta por um sorriso perturbador.

— Talvez tenha sido mesmo. Talvez *você* tenha feito isso. Para mim dá no mesmo, só que estou ficando meio cansado de acusações. E agora...

— Espere — disse Stefan, com uma brandura surpreendente. — Não vá ainda. Precisamos conversar...

— Receio já ter um compromisso. — Houve um bater de asas e Stefan e Elena ficaram a sós.

Elena colocou um dedo nos lábios.

— Droga. Eu não pretendia irritá-lo. Depois de ele ter sido quase civilizado tarde toda.

— Esqueça — disse Stefan. — Ele gosta de ficar com raiva. O que estava dizendo sobre o Matt?

Elena viu o cansaço no rosto de Stefan e passou o braço em volta dele.

— Não deveríamos conversar sobre isso agora, mas acho que amanhã talvez a gente deva procurá-lo. Para dizer a ele... — Elena levantou a outra mão, impotente. Não sabia o que queria dizer a Matt; só sabia que precisava fazer *alguma coisa*.

— E eu acho — disse Stefan devagar — que é melhor *você* ir vê-lo. Tentei conversar, mas ele não quis me ouvir. Posso entender isso, mas talvez você se saia melhor. E eu acho — ele se interrompeu e continuou, resoluto —, acho que é melhor você ficar sozinha com ele. Pode ir agora.

Elena olhou firme para Stefan.

— Tem certeza?

— Tenho.

— Mas... Você vai ficar bem? Eu devia ficar com você...

— Vou ficar bem, Elena — disse Stefan com gentileza. — Vá.

Elena hesitou, depois assentiu.

— Não vou demorar — ela prometeu.

* * *

168 ✦ *Diários do Vampiro – A Fúria*

Sem ser vista, Elena se esgueirou pela lateral da casa com a tinta descascando e a caixa de correio torta com a plaquinha *Honeycutt*. A janela de Matt estava destrancada. Que menino descuidado, pensou ela, reprovando. Não sabe que uma coisa pode de repente entrar de fininho? Ela a abriu, mas é claro que foi o máximo que pôde fazer. Uma barreira invisível, caindo como uma espécie de muro de ar denso, bloqueava sua passagem.

— Matt — sussurrou ela. O quarto estava escuro, mas ela via uma forma vaga na cama. Um relógio digital com números em verde-claro mostrava que era 00:15. — Matt — ela sussurrou novamente.

A figura se agitou.

— Hein?

— Matt, não quero que se assuste. — Ela abrandou voz, tentando acordá-lo gentilmente e não matá-lo de susto. — Mas sou eu, Elena, e queria conversar. Só que primeiro você precisa me convidar a entrar. Pode me convidar a entrar?

— Ah, pode entrar, então. — Elena ficou maravilhada com a ausência de surpresa na voz dele. Foi só depois de ter passado pelo peitoril que percebeu que ele ainda dormia.

— Matt. *Matt* — sussurrou ela, temerosa de chegar mais perto. O quarto estava abafado e muito quente, o radiador a toda. Ela podia ver um pé descalço saindo pelo monte de cobertores na cama e o cabelo louro no alto.

— Matt? — Insegura, ela se inclinou e tocou nele.

Isto produziu uma resposta. Com um grunhido explosivo, Matt se sentou ereto, girando o corpo. Quando os olhos encontraram os dela, estavam arregalados e assustados.

L. J. Smith ✦ 169

Elena se viu tentando parecer pequena e inofensiva, sem representar uma ameaça. Ela recuou até a parede.

— Eu não pretendia assustar você. Sei que é um choque. Mas pode conversar comigo?

Ele simplesmente continuou encarando Elena. Seu cabelo loiro estava suado e desgrenhado como penas molhadas de galinha. Ela podia ver a pulsação de Matt latejando no pescoço. Elena teve medo de que ele se levantasse e corresse para fora do quarto.

Depois os ombros dele relaxaram, arriados, e ele fechou os olhos devagar. Respirava profundamente mas de forma entrecortada.

— Elena.

— Sim — ela sussurrou.

— Você está morta.

— Não. Estou aqui.

— Os mortos não voltam. Meu pai não voltou.

— Eu não morri de verdade. Só mudei. — Os olhos de Matt ainda estavam fechados de repúdio e Elena se sentiu tomada por uma onda fria de desesperança. — Mas você preferia que eu tivesse morrido, não é? Vou embora agora — ela sussurrou.

O rosto de Matt se contorceu e ele começou a chorar.

— Não. Ah, não. Ah, não, Matt, por favor. — Ela se viu aninhando-o, esforçando-se para ela mesma não chorar. — Matt, me desculpe; eu não devia ter vindo aqui.

— Não vá embora — disse ele, aos soluços. — Não vá.

— Eu não vou. — Elena perdeu a briga e as lágrimas caíram no cabelo úmido de Matt. — Eu não queria machucar você, nunca — disse ela. — *Jamais*, Matt. Todas aquelas vezes, todas as coisas que eu fiz... Eu jamais quis magoar você. É verdade... — Depois ela parou de falar e apenas o abraçou.

Depois de um tempo, a respiração dele se aquietou e ele se recostou, enxugando o rosto com uma parte do lençol. Os olhos dele evitavam os dela. Havia uma expressão nele, não só de constrangimento, mas de desconfiança, como se estivesse se preparando para alguma coisa que o apavorasse.

— Tudo bem, então você está aqui. Está viva — disse ele asperamente. — E o que você quer?

Elena ficou confusa.

— Anda, deve haver alguma coisa. O que é?

Novas lágrimas se acumulavam, mas Elena as engoliu.

— Acho que mereço isso. Eu *sei* que mereço. Mas pela primeira vez, Matt, eu não quero absolutamente nada. Vim pedir desculpas, dizer que lamento por ter usado você... Não só naquela noite, mas sempre. Eu gosto de você e me importa se está magoado. Pensei que talvez pudesse melhorar as coisas. — Depois de um silêncio pesado, ela acrescentou: — Acho que agora eu *vou* embora.

— Não, espere. Espere um minutinho. — Matt enxugou o rosto com o lençol novamente. — Escute. Isso foi idiotice, e eu sou um idiota...

— Era a verdade e você é um cavalheiro. Ou você teria me mandado passear há muito tempo.

— Não, sou um completo idiota. Eu devia bater a cabeça na parede de alegria porque você não está morta. Já vou fazer isso. Escute. — Ele pegou o pulso de Elena e ela olhou, meio surpresa. — Não ligo se você é o Monstro do Lago Ness, It a Coisa, Godzilla e Frankenstein numa pessoa só. Eu só...

— Matt. — Em pânico, Elena colocou a mão livre na boca de Matt.

— Eu sei. Você está noiva do cara da capa preta. Não se preocupe; eu me lembro dele. Até gosto dele, mas sei lá por quê. — Matt respirou fundo e pareceu se acalmar. — Olha, não sei o que Stefan lhe disse. Ele me contou um monte de coisas... Sobre ser mau, que não lamentava pelo que fez com Tyler. Sabe do que estou falando?

Elena fechou os olhos.

— Ele mal come desde aquela noite. Acho que caçou uma vez. Hoje ele quase morreu por estar fraco demais.

Matt assentiu.

— Então essa é a dieta básica de vocês. Eu devia saber.

— Bom, é e não é. A necessidade é forte, mais forte do que pode imaginar. — Ocorria a Elena que *ela* não se alimentara hoje e que estava com fome mesmo antes de irem para a casa de Alaric. — Na realidade... Matt, é melhor eu ir. Só uma coisa... Se houver um baile amanhã à noite, não vá. Vai acontecer alguma coisa, algo ruim. Vamos tentar proteger os outros, mas não sei o que nós podemos fazer.

— "Nós" quem? — disse Matt asperamente.

— Stefan e Damon... Acho que Damon... e eu. E Meredith e Bonnie... E Alaric Saltzman. Não pergunte sobre Alaric. É uma longa história.

— Mas proteger *contra* o quê?

— Esqueci; você não sabe. *Essa* também é uma longa história, mas... Bom, a resposta curta é que alguma coisa me matou. Alguma coisa fez os cães atacarem as pessoas no meu funeral. É algo maligno, Matt, que já está em Fell's Church há algum tempo. E vamos tentar impedi-lo de fazer algo amanhã à noite. — Ela tentou não se retrair. — Olhe, me desculpe, mas preciso mesmo ir. — Os olhos de Elena vagavam, contra a vontade, pela veia azulada e larga no pescoço de Matt.

Quando Elena conseguiu virar a cara e olhar o rosto de Matt, viu o choque dando lugar a uma súbita compreensão. Depois a uma coisa inacreditável: a aceitação.

— Está tudo bem — disse Matt.

Ela não sabia se tinha ouvido direito.

— Matt?

— Eu disse que está tudo bem. Não me machucou antes.

— Não. Não, Matt, é sério. Não *vim* aqui para isso...

— Eu sei. É por isso que quero fazer. Quero lhe dar uma coisa que você *não* me pediu. — Depois de um momento, ele disse: — Pelos velhos tempos.

Stefan, pensava Elena. Mas Stefan disse para ela vir, e para vir sozinha. Stefan sabia, percebeu ela. E estava tudo bem. Era o presente dele a Matt — e a ela.

Mas vou voltar para *você*, Stefan, pensou ela.

Enquanto Elena se inclinava para ele, Matt disse:

— Vou ao baile e ajudarei vocês amanhã. Mesmo que não tenha sido convidado.

E então os lábios de Elena tocaram seu pescoço.

13 de dezembro, sexta-feira

Querido Diário,

Esta é a noite.

Sei que escrevi isso antes, ou pelo menos pensei em escrever. Mas esta é a noite, a grande noite, quando tudo vai acontecer. É isso.

Stefan também sente o mesmo. Ele voltou da escola hoje para me dizer que o baile aconteceria — o sr. Newcastle não queria provocar pânico cancelando nada. O que vão fazer é disponibilizar "seguranças" do lado de fora, o que significa a polícia, imagino. E talvez o sr. Smallwood e alguns de seus amigos apareçam lá com rifles. O que quer que vá acontecer, não acho que eles possam impedir.

Não sei se podemos também.

Nevou o dia todo. A estrada está bloqueada, o que significa que nada sobre rodas entra ou sai da cidade. Até que o limpa-neve chegue lá, e isso só vai acontecer pela manhã, mas aí já será tarde demais.

E o ar também está estranho. Não neva apenas. É como se alguma coisa mais fria do que a neve esperasse. Retrocede como o mar recua antes de uma onda. Quando se soltar...

Hoje pensei em meu outro diário, aquele debaixo das tábuas do piso do meu armário. Pensei em tirá-lo de lá, mas não quero voltar em casa de novo. Não acho que consiga lidar com isso, e sei que a tia Judith não suportaria, se me visse.

174 ✦ *Diários do Vampiro – A Fúria*

Estou surpresa de alguém ter sido capaz de suportar. Meredith, Bonnie... Em especial Bonnie. Bom, Meredith também, considerando o que sua família passou. Matt.

São amigos bons e leais. É estranho, antigamente eu pensava que não sobreviveria sem toda uma galáxia de amigos e admiradores. Agora estou muito satisfeita com três, obrigada. Porque eles são amigos de verdade.

Não sei o quanto eu me importava com eles antes. Ou com Margaret, nem mesmo com a tia Judith. E todo mundo na escola... Sei que algumas semanas atrás eu estava dizendo que não ligava se toda a população da Robert E. Lee caísse morta, mas não era verdade. Esta noite vou fazer o que puder para protegê-los.

Sei que estou pulando de um assunto para outro, mas só estou falando de coisas que são importantes para mim. Meio que organizando tudo na minha cabeça. Só por precaução.

Bom, está na hora. Stefan me espera. Vou terminar esta última frase e sair.

Acho que vamos vencer. Espero que sim.

Sei que vamos tentar.

A sala de história estava quente e muito iluminada. Do outro lado do prédio da escola, o refeitório era ainda mais iluminado, brilhando de luzes e enfeites de Natal. Ao chegar, Elena a examinara de uma distância cautelosa, observando os casais chegarem para o baile, passando pelos policiais junto à porta. Sentindo a presença silenciosa de Damon vindo logo atrás, ela apontou uma menina com cabelo castanho claro e comprido.

— Vickie Bennett — disse ela.

— Vou acreditar em sua palavra — respondeu ele.

Agora, ela olhou o quartel-general improvisado deles para a noite. A mesa de Alaric tinha sido limpa e ele estava recurvado sobre um mapa da escola. Meredith inclinava-se ao lado dele, o cabelo escuro tocando a manga da blusa. Matt e Bonnie misturavam-se com os estudantes no estacionamento, e Stefan e Damon rondavam pelo perímetro do terreno da escola. Eles se revezavam.

— É melhor você ficar aqui dentro — disse Alaric a Elena. — A última coisa de que precisamos é que alguém veja você e lhe persiga com uma estaca.

— Andei pela cidade a semana toda — disse Elena, achando graça. — Se eu não quiser ser vista, nem você me verá. — Mas concordou em ficar na sala de história e coordenar.

É como um castelo, pensou ela ao ver Alaric marcar no mapa as posições dos policiais e de outros homens. E o estamos defendendo. Eu e meus leais cavaleiros.

O relógio redondo e achatado na parede batia os minutos. Elena o olhava enquanto recebia as pessoas na porta da sela e as via sair. Serviu café quente de uma garrafa térmica para os que queriam. Ouviu os relatórios que chegavam.

"Tudo tranquilo no lado norte da escola."

"Caroline acaba de ser coroada rainha da neve. Que surpresa."

176 ✦ *Diários do Vampiro – A Fúria*

"Alguns garotos desordeiros no estacionamento... O xerife acaba de cercá-los..."

A meia-noite chegou e passou.

— Talvez estivéssemos errados — disse Stefan mais ou menos uma hora depois. Era a primeira vez que todos estavam juntos na sala desde o início da noite.

— Talvez esteja acontecendo em outro lugar — disse Bonnie, tirando uma bota e olhando dentro dela.

— Não há como saber onde vai acontecer — disse Elena com firmeza. — Mas não estamos errados sobre o acontecimento.

— Talvez — disse Alaric pensativamente — *haja* uma maneira. De descobrir o que vai acontecer, quero dizer. — Enquanto as cabeças se erguiam indagativas, ele disse: — Precisamos de uma premonição.

Todos os olhos se voltaram para Bonnie.

— Ah, não — disse Bonnie. — Estou cheia de tudo isso. Eu *odeio* isso.

— É um grande dom... — começou Alaric.

— É um grande pé no saco. Olha, vocês não entendem. Já é bem ruim fazer as previsões comuns. Parece que na maior parte do tempo estou descobrindo coisas que não quero saber. Mas ser dominada... é *medonho*. E depois nem me lembro do que eu disse. É horrível.

— Ser dominada? — repetiu Alaric. — Como assim?

Bonnie suspirou.

— Foi o que aconteceu comigo na igreja — disse ela com paciência. — Posso fazer outros tipos de previsões, como adivinhações com água ou ler a mão — ela olhou para Elena, depois virou o rosto —, coisas assim. Mas há horas em que... alguém... me domina e me usa para falar. É como ter outra pessoa no meu corpo.

— Como no cemitério, quando você disse que havia alguma coisa ali esperando por mim — disse Elena. — Ou quando você me avisou para não chegar perto da ponte. Ou quando veio jantar e disse que a Morte, a minha morte, estava na casa. — Ela olhou automaticamente para Damon, que retribuiu o olhar, impassível. Ainda assim, isso foi um erro, pensou ela. Damon não foi a morte dela. Então, o que a profecia significava? Por um instante alguma coisa cintilou em sua mente, mas antes que pudesse apreendê-la, Meredith interrompeu.

— É como outra voz que fala através de Bonnie — explicou Meredith a Alaric. — Ela até fica diferente. Talvez você não tenha chegado tão perto da igreja para ver.

— Mas por que você não me contou sobre isso? — Alaric estava animado. — Pode ser importante. Esta... entidade... seja lá o que for... pode nos dar informações fundamentais. Pode explicar o mistério do Outro Poder, ou pelo menos nos dar uma pista de como combatê-lo.

Bonnie sacudia a cabeça.

— Não. Não é uma coisa que eu possa chamar e não responde a perguntas. Simplesmente me *acontece*. E eu odeio.

— Quer dizer que não consegue pensar em nada que possa invocá-la? Alguma coisa que antes tenha levado a acontecer?

Elena e Meredith, que sabiam muito bem o que podia invocar a entidade, olharam-se. Elena mordeu o interior da bochecha. Era decisão de Bonnie. Tinha de ser decisão de Bonnie.

178 ✦ *Diários do Vampiro – A Fúria*

Bonnie, com a cabeça entre as mãos, olhou de lado por entre seus cachos ruivos para Elena. Depois fechou os olhos e gemeu.

— Velas — disse ela.

— O quê?

— *Velas*. A chama de uma vela pode fazer isso. Mas entendam que eu não tenho certeza; não estou prometendo *nada*...

— Alguém precisa saquear o laboratório de ciências — disse Alaric.

A cena lembrava o dia em que Alaric chegou à escola, quando pediu que todos colocassem as cadeiras em roda. Elena olhou o círculo de rostos sinistramente iluminados de baixo por uma vela. Lá estava Matt, com o queixo rígido. Ao lado dele, Meredith, os cachos escuros lançando sombras no alto. E Alaric, inclinado para frente, ansioso. E Damon, luz e sombra dançando no rosto. E Stefan, as maçãs do rosto altas, parecendo igualmente afiadas aos olhos de Elena. E por fim Bonnie, frágil e pálida na luz dourada da vela.

Estamos conectados, pensou Elena tomada pela mesma sensação que teve na igreja, quando pegou as mãos de Stefan e Damon. Ela se lembrava de um círculo fino de cera branca flutuando num prato de água. *Podemos conseguir se ficarmos juntos.*

— Vou só olhar a vela — disse Bonnie, a voz tremendo um pouco. — E não pensar em nada. Só vou tentar... me abrir para ela. — Ela começou a respirar fundo, fitando a chama da vela.

Depois aconteceu, como antes. O rosto de Bonnie se suavizou, perdendo toda expressão. Os olhos ficaram vagos como o querubim de pedra do cemitério.

Ela não disse uma palavra sequer.

Foi quando Elena percebeu que eles não combinaram o que perguntar. Ela esquadrinhou a mente em busca de uma pergunta antes que Bonnie perdesse o contato.

— Onde podemos encontrar o Outro Poder? — disse ela, no mesmo momento em que Alaric soltou, "Quem é você?". Suas vozes se misturaram, as perguntas se entremeando.

O rosto inexpressivo de Bonnie se virou, percorrendo a roda com olhos que não enxergavam. Depois a voz que não era de Bonnie disse:

— Venham e vejam.

— Espere um minuto — disse Matt, enquanto Bonnie se levantava, ainda em transe, e ia para a porta. — Aonde ela vai?

Meredith pegou o casaco.

— E vamos com ela?

— Não toque nela! — disse Alaric, colocando-se de pé num salto enquanto Bonnie ia para a porta.

Elena olhou para Stefan, depois para Damon. Concordando, eles a seguiram, andando atrás de Bonnie, pelos ecos do corredor vazio.

— Aonde vamos? Que pergunta ela está respondendo? — indagou Matt. Elena só pôde sacudir a cabeça. Alaric tentava acompanhar Bonnie com um andar leve.

180 ✦ *Diários do Vampiro – A Fúria*

Bonnie andou mais devagar enquanto eles saíam para a neve e, para surpresa de Elena, ela foi até o carro de Alaric no estacionamento dos funcionários e ficou ao lado dele.

— Não vai caber todo mundo; eu vou seguir com Matt — disse Meredith rapidamente. Elena, com a pele arrepiada de apreensão e do ar frio, entrou na traseira do carro de Alaric quando ele abriu a porta, com Damon e Stefan de cada lado. Bonnie se sentou na frente. Olhava bem para frente e não falava nada. Mas enquanto Alaric saía do estacionamento, ela ergueu a mão e apontou. À direita na Lee Street, à esquerda na Arbor Green. Em frente para a casa de Elena e depois à direita na Thunderbird. Indo para a Old Creek Road.

Foi quando Elena percebeu aonde eles iam.

Eles pegaram a outra ponte para o cemitério, aquela que todo mundo sempre chamava de "a ponte nova" para distingui-la da ponte Wickery, que agora desaparecera. Aproximavam-se do portão lateral, o lado para onde Tyler tinha ido quando levou Elena na igreja em ruínas.

O carro de Alaric parou exatamente onde o de Tyler havia estacionado. Meredith encostou atrás dele.

Com uma sensação terrível de *déjà vu*, Elena pegou a trilha da colina e passou pelo portão, seguindo Bonnie até a igreja em ruínas, com seu campanário apontando como um dedo para o céu nublado. No buraco vazio que antes era a porta, ela estacou

— Onde está nos levando? — disse ela. — *Escute*. Vai nos dizer que pergunta está respondendo?

— Venham e vejam.

Desanimada, Elena olhou os outros. Depois passou pela soleira da porta. Bonnie andava lentamente para a tumba de mármore branco, e parou.

Elena olhou para lá e depois para a expressão fantasmagórica de Bonnie. Cada pelo em seu braço e na nuca estava eriçado.

— Ah, não... — ela sussurrou. — Isso não.

— Elena, do que está falando? — disse Meredith.

Tonta, Elena olhou as esculturas de mármore de Thomas e Honoria Fell, deitados na tampa de pedra de seus túmulos.

— Esta coisa abre — sussurrou ela.

13

— **A**cha que a gente devia... olhar aí dentro? — disse Matt.

— Não sei — respondeu Elena, infeliz. Não queria ver o que havia dentro da tumba, como não quis ver quando Tyler sugeriu abri-la para vandalizar. — Talvez a gente nem *consiga* abrir — acrescentou ela. — Tyler e Dick não conseguiram. Só começou a deslizar quando eu me encostei nela.

— Encoste agora; deve ter algum mecanismo de mola oculto — sugeriu Alaric e, quando Elena o atendeu, sem resultados, ele disse: — Muito bem, todo mundo encontre apoio e se prepare... Assim. Agora vamos...

Agachado, ele olhou para Damon, que estava imóvel perto da tumba, parecendo se divertir um pouco.

— Com licença — disse Damon e Alaric recuou, de cenho franzido. Damon e Stefan pegaram cada um uma ponta da tampa e a ergueram.

A tampa deslizou, com um moer, enquanto Damon e Stefan a deslizavam para o chão ao lado do túmulo.

Elena não conseguia chegar mais perto.

Em vez disso, reprimindo a náusea, concentrou-se na expressão de Stefan. Isso indicaria o que poderia haver ali. Imagens se chocaram por sua mente, de corpos mumificados cor de pergaminho, cadáveres em decomposição, crânios com dentes à mostra. Se Stefan parecesse apavorado, nauseado ou com nojo...

Mas enquanto Stefan olhava a tumba aberta, seu rosto registrou apenas uma surpresa desconcertada.

Elena não suportou mais.

— O que é isso?

Ele deu um sorriso torto e disse, com um olhar para Bonnie:

— Venham e vejam.

Elena se aproximou um pouco da tumba e olhou para baixo. Depois sua cabeça voou para cima e ela olhou confusa para Stefan.

— *O que é isso?*

— Não sei — respondeu ele. Ele se virou para Meredith e Alaric. — Um de vocês tem uma lanterna? Ou uma corda?

Depois de olhar o buraco na pedra, os dois foram para os carros. Elena continuou onde estava, fitando abaixo, forçando sua visão noturna. Ainda não conseguia acreditar.

184 ♦ *Diários do Vampiro – A Fúria*

A tumba não era uma tumba, mas uma porta.

Agora Elena entendia por que sentiu um vento frio soprando dali quando a tampa se mexera sob sua mão naquela noite. Ela olhava uma espécie de câmara ou porão no chão. Só conseguia ver uma parede, aquela que descia reta abaixo dela, e a que tinha degraus de ferro encravados na pedra, como uma escada.

— Aqui está — disse Meredith a Stefan, voltando. — Alaric pegou uma lanterna e esta é a minha. E aqui está a corda que Elena colocou no meu carro quando fomos procurar por você.

O facho estreito da lanterna de Meredith percorreu o espaço abaixo.

— Não consigo ver muita coisa lá dentro, mas parece vazio — disse Stefan. — Vou descer primeiro.

— Vai *descer*? — disse Matt. — Olha, tem certeza de que a gente *deve* descer? Bonnie, o que acha?

Bonnie não se mexia. Ainda estava parada ali com aquela expressão inteiramente abstraída, como se não enxergasse nada em volta. Sem dizer nada, ela balançou a perna pela beira da tumba, girou o copo e começou a descer.

— Caramba — disse Stefan. Ele colocou a lanterna no bolso da jaqueta, a mão na base da tumba e pulou.

Elena não teve tempo para desfrutar da expressão de Alaric; inclinou-se para baixo e gritou:

— Você está bem?

— Tudo bem. — A lanterna piscou para ela de baixo. — Bonnie também está ótima. Os degraus descem até o chão. Mas é melhor trazer a corda mesmo assim.

Elena olhou para Matt, que era o mais próximo dela. Seus olhos azuis encontraram os dela com desânimo e certa resignação, e ele assentiu. Ela respirou fundo e pôs a mão na base da tumba, como fizera Stefan. Outra mão de repente se fechou em seu pulso.

— Acabo de pensar numa coisa — disse Meredith, sombria. — E se a entidade de Bonnie *for* o Outro Poder?

— Já pensei nisso há muito tempo — disse Elena. Ela deu um tapinha na mão de Meredith, afastou-a, e pulou.

Elena se apoiou no braço que Stefan oferecia e olhou em volta.

— Meu Deus...

Era um lugar estranho. As paredes eram revestidas de pedra. Eram macias e quase pareciam polidas. Seguindo determinados intervalos, encravados nas paredes, havia candelabros de ferro, alguns ainda com os restos de velas de cera. Elena não conseguia ver a outra extremidade do ambiente, mas a lanterna mostrou um portão de ferro batido bem perto, como o portão que algumas igrejas usavam para proteger um altar.

Bonnie tinha acabado de chegar ao fundo da escada. Esperou em silêncio enquanto os outros desciam, primeiro Matt, depois Meredith, em seguida Alaric com outra lanterna.

Elena olhou para cima.

— Damon?

Ela podia ver a silhueta dele contra o retângulo mais escuro que era a abertura da tumba para o céu.

— Sim?

186 ✦ *Diários do Vampiro – A Fúria*

— Está com a gente? — perguntou ela. Não "você *vem* com a gente?" Ela sabia que ele entenderia a diferença.

Elena esperou cinco batidas do coração no silêncio que se seguiu. Seis, sete, oito...

Houve uma lufada de ar e Damon pousou com elegância. Mas não olhou para Elena. Os olhos dele estavam estranhamente distantes e ela não conseguia interpretar sua expressão.

— É uma cripta — dizia Alaric admirado, enquanto sua lanterna cortava a escuridão. — Uma câmara subterrânea sob uma igreja, usada como local de sepultamento. Antigamente elas eram construídas sob igrejas maiores.

Bonnie andou direto para o portão e colocou a mãozinha branca nele, abrindo-o. Ele girou, abrindo passagem.

Agora o coração de Elena começava a bater rápido demais para que ela contasse. De algum modo ela obrigou as pernas a avançarem, a seguirem Bonnie. Seus sentidos afiados estavam quase dolorosamente agudos, mas não traziam qualquer informação sobre o espaço que adentrava. O facho da lanterna de Stefan era fino demais, mostrava apenas o chão de pedra à frente e a forma enigmática de Bonnie.

Bonnie parou.

É isso, pensou Elena, a respiração presa na garganta. Ah, meu Deus, é isso; é isso mesmo. Ela teve a súbita sensação de estar no meio de um sonho lúcido, um sonho em que sabia que estava sonhando, mas não conseguia mudar nada nem acordar. Seus músculos travaram.

Ela sentia o cheiro de medo dos outros e podia sentir a tensão acre de Stefan logo atrás dela. A lanterna de Stefan percorreu objetos para além de Bonnie, mas de início os olhos de Elena não viram nada que fizesse sentido. Viu ângulos, trechos planos, contornos, depois algo entrou em foco. Uma face mortalmente branca, pendendo grotescamente de lado...

O grito não saiu de sua garganta. Era só uma escultura e as feições eram conhecidas. Eram as mesmas da tampa da tumba. Esta tumba era igual àquela por onde entrara. Só que esta tinha sido saqueada, a tampa de pedra quebrada em duas, atirada na parede da cripta. Alguma coisa se espalhava pelo chão como varetas frágeis de marfim. Pedaços de mármore, disse Elena desesperadamente a seu cérebro; é só mármore, cacos de mármore.

Eram ossos humanos, lascados e esmagados.

Bonnie se virou.

Seu rosto em forma de coração girou como se aqueles olhos fixos e vagos examinassem o grupo. Ela terminou diretamente em frente de Elena.

Depois, com um tremor, cambaleou e se jogou violentamente para frente como uma marionete cujas cordas foram cortadas.

Elena não conseguiu segurá-la, e acabou caindo também.

— Bonnie? Bonnie? — Os olhos castanhos que a fitavam, dilatados e desorientados, eram os olhos apavorados de Bonnie. — Mas o que aconteceu? — perguntou Elena. — Onde isso vai dar?

— Eu estou aqui.

Acima da tumba pilhada, aparecia uma luz nevoenta. Não, não era uma luz, pensou Elena. Ela a sentia com os olhos, mas

188 ♦ *Diários do Vampiro – A Fúria*

não era a luz do espectro normal. Isto era algo mais estranho do que o infravermelho ou o ultravioleta, algo que os sentidos humanos não podem ver. Revelava-se a ela, forçava-se para dentro de seu cérebro, por um Poder externo.

— O Outro Poder — sussurrou ela, o sangue paralisando.

— Não, Elena.

A voz não tinha som, como a visão não tinha luz. Era silenciosa como o brilho de uma estrela, e era triste. Lembrava Elena de alguma coisa.

Mãe?, pensou ela, desvairada. Mas não era a voz de sua mãe. O brilho acima da tumba parecia girar e refluir, e por um momento Elena vislumbrou um rosto, um rosto gentil e triste. Então ela entendeu.

— Estive esperando por você — disse suavemente a voz de Honoria Fell. — Aqui eu posso lhe falar enfim em minha própria forma, e não pelos lábios de Bonnie. Ouça-me. Seu tempo é curto e o perigo é muito grande.

Elena encontrou a língua.

— Mas o que é este lugar? Por que nos trouxe aqui?

— Você me perguntou. Não podia mostrar antes que você perguntasse. Este é seu campo de batalha.

— Não entendi.

— Esta cripta foi construída para mim pelo povo de Fell's Church. Um lugar de repouso para meu corpo. Um local secreto para quem teve poderes secretos em vida. Como Bonnie, eu sei de coisas que ninguém mais pode saber. Vi coisas que ninguém mais pôde ver.

— Você era paranormal — sussurrou Bonnie, com a voz rouca.

— Naquele tempo, chamavam de bruxaria. Mas nunca usei meus poderes para o mal e, quando morri, construíram-me este monumento para que meu marido e eu pudéssemos ficar em paz. Mas depois de muitos anos nossa paz foi perturbada.

A fraca luz fluía e refluía, a silhueta de Honoria oscilava.

— Outro Poder veio a Fell's Church, cheio de ódio e destruição. Profanou meu lugar de repouso e espalhou meus ossos. Fez deste lugar o seu lar. Saiu para espalhar o mal em minha cidade. Eu despertei. Tentei alertar você contra isso desde o início, Elena. Ele mora aqui, nos subterrâneos do cemitério. Esteve esperando por você, observando seus passos. Às vezes na forma de uma coruja...

Uma coruja. A mente de Elena disparava. Uma coruja, como a coruja que ela vira aninhada no campanário da igreja. Como a coruja que viu no celeiro, como a coruja na acácia perto de sua casa.

Coruja branca... Ave de rapina... Comedora de carne... Ela pensou. E depois se lembrou das grandes asas brancas que pareciam se estender ao horizonte dos dois lados. Um grande pássaro feito de névoa ou neve, vindo atrás dela, concentrado nela, sedento de sangue e cheio de ódio animal...

— Não! — gritou ela, engolfada pela lembrança.

Ela sentiu as mãos de Stefan em seus ombros, os dedos dele se cravando quase dolorosamente. Isso a trouxe de volta à realidade. Honoria Fell ainda falava.

190 ✦ *Diários do Vampiro – A Fúria*

— E você, Stefan, também tem sido observado. Odiou você antes de odiar Elena. Esteve atormentando você e brincando com você como um gato com um camundongo. Ele odeia os que você ama. É cheio de um amor envenenado.

Elena olhou involuntariamente para trás. Viu Meredith, Alaric e Matt paralisados. Bonnie e Stefan estavam ao lado dela. Mas Damon... Onde estava Damon?

— Seu ódio cresceu tanto que qualquer morte que houver, qualquer sangue derramado será motivo de prazer. Neste momento, os animais que controla saem furtivos do bosque. Seguem para a cidade, para as luzes.

— O Baile da Neve! — exclamou Meredith.

— Sim. E desta vez atacarão até que o último esteja morto.

— Temos de avisar àquelas pessoas — disse Matt. — Todo mundo no baile...

— Nunca terá segurança se a mente que os controla não for destruída. A chacina continuará. Vocês devem destruir o poder que odeia; foi por isso que os trouxe aqui.

Houve outro fluxo na luz; parecia estar recuando.

— Vocês têm coragem, basta encontrá-lo. Sejam fortes. É a única ajuda que posso lhes dar.

— Espere... Por favor... — começou Elena.

A voz continuou, sem dar atenção a Elena.

— Bonnie, você tem alternativa. Seus poderes secretos são uma responsabilidade. Também são um dom, e um dom que pode lhe ser retirado. Prefere renunciar a ele?

— Eu... — Bonnie sacudiu a cabeça, apavorada. — Não sei. Preciso de tempo...

— Não há tempo. Decida. — A luz minguava, sumindo em si mesma.

Os olhos de Bonnie eram confusos e inseguros ao procurarem ajuda no rosto de Elena.

— A decisão é *sua* — sussurrou Elena. — Precisa tomá-la sozinha.

Lentamente, a incerteza deixou o rosto de Bonnie e ela assentiu. Afastou-se de Elena, sem apoio, virando-se para a luz.

— Eu fico com ele — disse ela com a voz rouca. — Vou lidar com ele de alguma maneira. Minha avó fez isso.

A luz bruxuleou como se sentisse prazer.

— Decidiu com sensatez. Que faça bom uso dele. Esta é a última vez que lhe falo.

— Mas...

— Eu conquistei meu descanso. A luta é sua. — E o brilho se apagou, como as últimas brasas de um fogo moribundo.

Com sua partida, Elena pôde sentir a pressão ao redor. Algo ia acontecer. Alguma forma esmagadora vinha em direção a eles, ou pairava sobre eles.

— Stefan...

Stefan também sentia; ela sabia disso.

— Vamos — disse Bonnie, a voz em pânico. — Precisamos sair daqui.

— Temos que chegar ao baile — Matt ofegava. Seu rosto estava branco. — Precisamos ajudá-los...

— Fogo — gritou Bonnie, assustada, como se a ideia acabasse de lhe ocorrer. — O fogo não pode matá-los, mas os afastará...

192 ✦ *Diários do Vampiro – A Fúria*

— Não ouviu? Temos de enfrentar o Outro Poder. E ele está *aqui*, bem aqui, agora mesmo. Não podemos ir! — exclamou Elena. Sua mente era um turbilhão. Imagens, lembranças e um pressentimento medonho... Sede de sangue... Ela podia sentir...

— Alaric. — Stefan falou com um tom de autoridade. — Volte você. Leve os outros; faça o que puder. Eu vou ficar...

— Acho que todos nós devemos ir! — gritou Alaric. Ele teve de gritar para ser ouvido por sobre o ruído ensurdecedor que os cercava.

Sua lanterna hesitante mostrou a Elena algo que ela não havia percebido. Na parede ao lado se abria um buraco, como se a pedra que o revestia estivesse sendo arrancada. E, para além dele, havia um túnel na terra, escuro e interminável.

Onde isso vai dar?, perguntou-se Elena, mas o pensamento se perdeu em meio ao tumulto de seu medo. Coruja branca... Ave de rapina... Comedora de carne... *Corvo*, pensou ela, e de repente ela entendeu com uma clareza ofuscante o que temia.

— Onde está o Damon? — gritou ela, arrastando Stefan ao se virar, olhando. — Onde está o Damon?

— *Saiam!* — gritou Bonnie, a voz estridente de terror. Ela se atirou no portão justo quando o som cortou a escuridão.

Era um rosnado, mas não era de um cão. Não podia ser contundido com um cachorro. Era muito mais grave, mais pesado, mais ressoante. Era um som *descomunal* e exalava a selva, a sede do caçador. Reverberou no peito de Elena, abalou seus ossos.

Deixou-a paralisada.

O som voltou, faminto e selvagem, mas de certo modo quase indolente. Uma confiança. E com ele vieram passos pesados do túnel.

Bonnie tentava gritar, mas só conseguiu soltar um assovio fino. No escuro do túnel, algo se aproximava. Uma forma que se movia com um gingado felino esguio. Elena agora reconhecia o rosnado. Era o som do maior dos felinos caçadores, maior do que um leão. Os olhos do tigre apareceram amarelos ao chegarem à extremidade do túnel.

E então tudo aconteceu ao mesmo tempo.

Elena sentiu Stefan tentar puxá-la para trás e tirá-la do caminho. Mas seus próprios músculos petrificados eram um estorvo para ele, e ela sabia que era tarde demais.

O salto do tigre foi gracioso, os músculos potentes lançando-o no ar. Naquele instante, ela o viu como se ele fosse apanhado pela luz de uma lanterna e sua mente notou os flancos magros e brilhantes e a coluna flexível. Mas sua voz gritou por conta própria.

— *Damon, não!*

Foi apenas quando o lobo preto disparou no escuro para encontrá-lo que ela percebeu que o tigre era branco.

O salto do grande felino foi interceptado pelo lobo e Elena sentiu Stefan arrancá-la do caminho, puxando-a de lado, por precaução. Os músculos de Elena derreteram como flocos de neve e ela se rendeu, num torpor, enquanto ele a colocava encostada na parede. A tampa da tumba agora ficava entre ela e a forma branca que rosnava, mas o portão ficava do outro lado da luta.

194 ✦ *Diários do Vampiro – A Fúria*

A fraqueza de Elena era em parte terror e parte perplexidade. Ela não estava entendendo nada; a confusão rugia em seus ouvidos. Um minuto atrás tinha certeza de que Damon estava jogando com eles o tempo todo, que ele era o Outro Poder. Mas a maldade e a sede de sangue que emanavam do tigre eram inconfundíveis. Foi isto que a perseguiu no cemitério, e do pensionato ao rio, que provocou sua morte. Este poder branco que o lobo tentava matar.

Era uma contenda impossível. O lobo preto, cruel e agressivo, não teve chances. Um golpe das imensas patas do tigre caiu nos ombros do lobo, expondo o osso. Suas mandíbulas rosnaram abertas enquanto tentavam se fechar e quebrar os ossos do pescoço do lobo.

Mas Stefan estava ali, apontando o facho da lanterna nos olhos do felino, tirando o lobo ferido do caminho. Elena queria poder gritar, queria poder fazer alguma coisa para liberar a dor violenta que tinha por dentro. Ela não entendia; não compreendia nada. Stefan corria perigo. Mas ela não conseguia se mexer.

— Saiam! — gritou Stefan para os outros. — Agora; saiam agora!

Mais rápido do que qualquer humano, ele saiu do caminho de uma pata branca, mantendo a luz nos olhos do tigre. Meredith agora estava do outro lado do portão. Matt meio carregava e meio arrastava Bonnie. Alaric passou por ele.

O tigre arremeteu e o portão se fechou com um baque. Stefan caiu de lado, escorregando ao tentar se levantar.

— Não vamos deixar você... — gritou Alaric.

— Vão! — berrou Stefan. — Vão para o baile; façam o que puderem! *Vão!*

O lobo atacava novamente, apesar das feridas sangrentas na cabeça e nos ombros, onde músculos e tendões estavam expostos e brilhavam. O tigre revidava. Os sons animais chegaram a um volume que ele não suportava. Meredith e os outros foram embora; a lanterna de Alaric desaparecera.

— Stefan! — ela gritou, vendo-o pronto para saltar e voltar à luta.

Se ele morresse, ela também morreria. E se ela tivesse de morrer, queria estar com ele.

A paralisia a deixou e ela avançou aos tropeços até Stefan, chorando, estendendo a mão para segurá-lo com força. Sentiu o braço dele a envolver enquanto ele mantinha o próprio corpo entre Elena e o barulho e a violência. Mas Elena era teimosa, tanto quanto ele. Ela girou, depois eles ficaram cara a cara.

O lobo estava caído. Deitava-se de costas, e embora seu pelo fosse escuro demais para revelar o sangue, uma poça vermelha se acumulava por baixo. O felino branco assomava no alto, as mandíbulas a centímetros do pescoço preto e vulnerável.

Mas a mordida mortal no pescoço não veio. Em vez disso, o tigre ergueu a cabeça e olhou para Stefan e Elena.

Com uma estranha calma, Elena se viu percebendo detalhes mínimos da aparência do tigre.

Os bigodes eram retos e finos, como fios de prata. O pelo era de um branco puro, com riscos claros de ouro fosco. Branco e dourado, pensou ela, lembrando-se da coruja no celeiro.

196 ✦ *Diários do Vampiro – A Fúria*

E isto incitou outra lembrança... De algo que ela vira... Algo de que ouvira falar...

Com um golpe pesado, o felino arrancou a lanterna da mão de Stefan. Elena o ouviu sibilar de dor, mas não conseguia enxergar mais nada no escuro. Onde não havia luz nenhuma, até um caçador era cego. Agarrando-se a ele, ela esperou pela dor do golpe fatal.

Mas de repente sua cabeça girava; enchia-se de cinza e espirais de névoa, e ela não conseguiu se segurar em Stefan. Não conseguia pensar; não conseguia falar. O chão parecia sumir sob seus pés. Ela percebeu vagamente que o Poder estava sendo usado contra ela, que ele dominava sua mente.

Elena sentiu o corpo de Stefan cedendo, arriando, afastando-se dela, caindo, e não conseguiu mais resistir à névoa. Caiu por uma eternidade e não soube quando atingiu o chão.

14

oruja branca... Ave de rapina... Caçador... Tigre. Brincando com você como um gato com um camundongo. Como um gato... Um gato grande... Um gatinho. Uma gatinha branca.

A morte está na casa.

E a gatinha, a gata que fugiu de Damon. Não por medo dele, mas por medo de ser descoberta. Como aconteceu quando ficou no peito de Margaret e miou ao ver Elena do lado de fora da janela.

Elena gemeu e quase voltou à consciência, mas a névoa cinza a arrastou de volta antes que conseguisse abrir os olhos. Seus pensamentos fervilharam de novo.

Amor envenenado... Stefan, ele odiava você antes de odiar Elena... Branco e dourado... *Uma coisa branca embaixo da árvore...*

198 ✦ *Diários do Vampiro – A Fúria*

Desta vez, quando lutou para abrir os olhos, Elena conseguiu. E antes mesmo de conseguir focalizar na luz fraca e cambiante, ela entendeu. Ela finalmente entendeu.

A figura que arrastava um vestido branco virou-se da vela que acendia e Elena viu que podia ser seu próprio rosto acima daqueles ombros. Mas era um rosto sutilmente distorcido, pálido e lindo como uma escultura de gelo, mas *errado*. Era como os reflexos intermináveis de si que Elena vira no sonho do corredor de espelhos. Distorcido e faminto, e com escárnio.

— Oi, Katherine — sussurrou ela.

Katherine sorriu, um sorriso furtivo e predatório.

— Você não é tão idiota quanto eu pensava — disse ela.

Sua voz era leve e doce — prateada, pensou Elena. Como os cílios. Também havia luzes prateadas em seu vestido quando ela se mexia. Mas o cabelo era dourado, de um dourado quase tão claro quanto o de Elena. Seus olhos eram como os da gatinha: redondos e azuis. No pescoço trazia um colar com uma pedra da mesma cor.

A garganta de Elena doía, como se tivesse gritado. Também estava seca. Quando virou a cabeça lentamente para o lado, até esse pequeno movimento provocou dor.

Stefan estava ao lado dela, curvado para frente, amarrado pelos braços nas estacas de ferro batido do portão. A cabeça vergava contra o peito, mas o que ela pôde ver de seu rosto era mortalmente branco. O pescoço estava rasgado e o sangue pingava na gola e secava.

Elena se voltou para Katherine tão rapidamente que sua cabeça girou.

— Por quê? Por que fez isso?

Katherine sorriu, mostrando dentes brancos e pontiagudos.

— Porque eu o *amo* — disse ela num cantarolar infantil. — Você não o ama também?

Foi só então que Elena percebeu plenamente por que não conseguia se mexer e por que os braços doíam. Estava amarrada como Stefan, firmemente presa ao portão fechado. Um girar doloroso da cabeça para o outro lado revelou Damon.

Ele estava em piores condições do que o irmão. A jaqueta e o braço estavam rasgados e a visão da ferida deixou Elena nauseada. A camisa pendendo em farrapos e Elena pôde ver o movimento mínimo das costelas com sua respiração. Se não fosse por isso, ela teria pensado que ele estava morto. O sangue colava em seu cabelo e escorria para os olhos fechados.

— De qual deles você gosta mais? — perguntou Katherine, num tom íntimo e confiante. — Pode me dizer. Qual deles acha que é melhor?

Elena olhou para ela, enjoada.

— Katherine — sussurrou ela. — Por favor, me escute, por favor...

— Diga. Vamos. — Aqueles olhos de joias azuis encheram a visão de Elena enquanto Katherine se inclinava para mais perto, os lábios quase tocando os de Elena. — *Eu* acho que os dois são divertidos. Gosta de diversão, Elena?

Revoltada, Elena fechou os olhos e virou a cara. Se ao menos sua cabeça parasse de girar.

Katherine recuou com uma risada vibrante.

200 ✦ *Diários do Vampiro – A Fúria*

— Eu sei, é tão difícil escolher. — Ela deu uma pequena pirueta e Elena viu que o que parecia vagamente a cauda do vestido de Katherine era, na verdade, o cabelo dela. Fluía como ouro derretido por suas costas e caía até o chão, arrastando-se atrás dela. — Tudo depende do seu gosto — continuou Katherine, dando passinhos graciosos de dança e terminando diante de Damon. Olhou malignamente para Elena. — Mas eu tenho um dente bem doce. — Ela segurou Damon pelos cabelos e, puxando a cabeça para cima, afundou os dentes em seu pescoço.

— Não! Não faça isso; não o machuque mais... — Elena tentou se impelir para frente, mas estava amarrada com firmeza. O portão era de ferro maciço, encravado na pedra, e as cordas eram fortes. Katherine produzia ruídos animais, roendo e mastigando a carne, e Damon gemia mesmo inconsciente. Elena viu seu corpo sacudir por reflexo de dor.

— Pare, por favor; ah, por favor, pare...

Katherine levantou a cabeça. O sangue escorria pelo queixo.

— Mas estou com fome e ele é tão *bom* — disse ela. Ela retrocedeu e atacou novamente, e o corpo de Damon teve um espasmo. Elena gritou.

Eu já estive assim, pensou ela. No início, naquela primeira noite no bosque, eu estava assim. Feri Stefan desse jeito, eu queria matá-lo...

A escuridão se elevou em volta e ela cedeu, agradecida.

O carro de Alaric derrapou em um trecho de gelo ao chegar à escola e Meredith quase bateu na traseira. Ela e Matt saltaram do carro, deixando as portas abertas. À frente, Alaric e Bonnie fizeram o mesmo.

— E o resto da cidade? — gritou Meredith, correndo até eles. O vento aumentava e seu rosto ardia com a neve.

— Só a família de Elena... A tia Judith e Margaret — gritou Bonnie. Sua voz era estridente e apavorada, mas havia concentração em seus olhos. Ela tombou a cabeça para trás como se tentasse se lembrar de alguma coisa e disse: — Sim, é isso. São elas que os cães também procurarão. Diga para irem a algum lugar... Tipo o porão. Mantenha as duas ali!

— Vou fazer isso. Vocês três cuidem do baile!

Bonnie se virou para correr atrás de Alaric. Meredith disparou de volta ao carro.

O baile estava nos últimos estágios de encerramento. Havia casais tanto do lado de dentro como de fora, partindo para o estacionamento. Alaric gritou para eles enquanto ele, Matt e Bonnie se aproximavam correndo.

— Voltem! Todo mundo deve ficar lá dentro e fechar as portas! — gritou ele para os policiais.

Mas não deu tempo. Ele chegou ao refeitório ao mesmo tempo que a primeira forma que espreitava no escuro. Um policial caiu sem ruído ou chance de disparar a arma.

Outro foi mais rápido e disparou um tiro, ampliado pelo pátio de concreto. Estudantes gritaram e começaram a fugir para o estacionamento. Alaric foi atrás deles, gritando, tentando conduzi-los de volta.

202 ✦ *Diários do Vampiro – A Fúria*

Outras formas surgiram da escuridão, por entre os carros estacionados, por todos os lados. Fez-se pânico. Alaric ainda gritava, tentando conduzir os estudantes apavorados para o prédio. Ali fora eram uma presa fácil.

No pátio, Bonnie virou-se para Matt.

— Precisamos de fogo! — disse ela. Matt disparou para o refeitório e voltou com uma caixa cheia de programas do baile. Atirou-os no chão, procurando nos bolsos por um dos fósforos que antes usara para acender a vela.

O papel pegou fogo e ardeu. Formou uma ilha de segurança. Matt continuou a acenar para as pessoas na porta do refeitório atrás do fogo. Bonnie se enfiou para dentro, encontrando ali um cenário tão tumultuado quanto o de fora.

Ela procurou por alguém com autoridade, mas não viu nenhum adulto, só crianças em pânico. Depois os enfeites de papel crepom vermelhos e verdes atraíram sua atenção.

O barulho era ensurdecedor; nem um grito podia ser ouvido ali. Lutando para passar pelas pessoas que tentavam sair, ela foi para a outra extremidade da sala. Caroline estava lá, pálida sem o bronzeado de verão, usando a tiara de rainha da neve. Bonnie a levou ao microfone.

— Você fala bem. Diga a eles para entrarem e *ficarem* aqui! Diga para começarem a arrancar os enfeites. Precisamos de tudo que possa queimar... Cadeiras de madeira, coisas das lixeiras, *qualquer coisa*. Diga que é nossa única chance! — Ela acrescentou, enquanto Caroline a encarava, assustada e sem compreender: — Você agora tem a coroa... Então *faça* alguma coisa com ela!

Bonnie não esperou para ver Caroline obedecer. Enfiou-se novamente no furor do ambiente. Um instante depois ouviu a voz de Caroline, primeiro hesitante, depois urgente, nos alto-falantes.

O silêncio era mortal quando Elena voltou a abrir os olhos.

— Elena?

Ao ouvir o sussurro rouco, ela tentou focalizar e se viu fitando olhos verdes cheios de dor.

— Stefan — disse ela. Elena se inclinou para ele ansiosamente, tentando se mexer. Não fazia sentido, mas ela achava que se os dois pudessem se abraçar, não seria tão ruim.

Ouviu-se uma risada infantil. Elena não se virou, mas Stefan sim. Elena viu a reação dele, viu a sequência de expressões passando por seu rosto numa velocidade quase demasiada para que fossem identificadas. O choque, a incredulidade, a alegria incipiente — depois o pavor. Um pavor que por fim tornou seus olhos cegos e opacos.

— Katherine — disse ele. — Mas é impossível. Não pode ser. Você estava morta...

— Stefan... — disse Elena, mas ele não respondeu.

Katherine pôs a mão diante da boca e riu por trás.

— Você acordou também — disse ela, olhando o outro lado de Elena. Elena sentiu uma onda de Poder. Depois de um instante, a cabeça de Damon se ergueu devagar e ele piscou.

Havia perplexidade em seu rosto. Ele inclinou a cabeça para trás, os olhos semicerrados de cansaço, e por um minuto olhou

204 ♦ *Diários do Vampiro – A Fúria*

quem o capturara. Em seguida sorriu, um sorriso fraco e dolorido, mas reconhecível.

— Nossa doce gatinha branca — sussurrou ele. — Eu devia saber.

— Mas não sabia, não é? — disse Katherine, ansiosa como uma criança brincando de um jogo. — Nem você adivinhou. Enganei a todos. — Ela riu novamente. — Foi tão divertido ver você enquanto vigiava Stefan, e nenhum dos dois sabia que eu estava lá. Eu até arranhei você uma vez! — Curvando os dedos em garras, ela imitou um golpe de gato.

— Na casa de Elena. Sim, eu me lembro — disse Damon, devagar. Ele não estava tão colérico, mas parecia se divertir de uma forma vaga e extravagante. — Bom, você é sem dúvida uma caçadora. A dama *e* o tigre, por assim dizer.

— E eu coloquei Stefan no poço — Katherine se gabava. — Vi vocês dois lutando. Gostei disso. Segui Stefan até a beira do bosque, depois... — Ela bateu palmas, como alguém pegando uma mariposa. Abrindo-as lentamente, olhou dentro delas como se realmente houvesse alguma coisa ali, e riu secretamente. — Eu ia ficar com ele para brincar — confidenciou ela. Depois seu lábio inferior se projetou e ela olhou malignamente para Elena. — Mas você o pegou. Isso foi maldade, Elena, não devia ter feito isso.

A astúcia medonha e infantil sumira de seu rosto e por um momento Elena vislumbrou o ódio ardente de uma mulher.

— Meninas gananciosas precisam ser castigadas — disse Katherine, avançando para ela — E você foi uma menina gananciosa.

— Katherine! — Stefan acordava de seu torpor e falou rapidamente. — Não quer nos contar o que mais você fez?

Distraída, Katherine recuou um passo. Parecia surpresa, até lisonjeada.

— Bom... Se quer mesmo saber. — Ela abraçou os cotovelos e deu uma pirueta de novo, o cabelo dourado girando no chão. — Não — disse ela alegremente, virando-se e apontando para eles. — Adivinhem. Vão adivinhar e vou dizer se está certo ou errado. Adivinhem!

Elena engoliu a seco, lançando um olhar disfarçado para Stefan. Não via sentido em embromar Katherine; no fim, tudo ia dar no mesmo. Mas um instinto dizia para se agarrar ao máximo à vida.

— Você atacou Vickie — disse ela receosa. A seus ouvidos, sua voz parecia não ter fôlego, mas ela agora foi mais firme. — A menina na igreja em ruínas naquela noite.

— Muito bom! Sim — exclamou Katherine. Ela deu outro golpe de gato com os dedos em garra. — Bem, afinal, ela estava na minha igreja — acrescentou ela. — E o que ela e aquele menino estavam fazendo... Ora essa! Não se faz isso numa igreja. Por isso, eu a *arranhei!* — Katherine arrastou a palavra, demonstrando, como alguém contando uma história a uma criancinha. — E... eu lambi o sangue dela! — Ela lambeu os lábios rosados com a língua. Depois apontou para Stefan. — Agora você!

— Você a esteve assombrando desde então — disse Stefan. Ele não participava do jogo; fazia uma observação nauseada.

— Sim, acertou! Vamos para outra coisa — disse Katherine asperamente. Mas depois mexeu nos botões da gola do vesti-

206 ♦ *Diários do Vampiro – A Fúria*

do, os dedos se retorcendo. E Elena pensou em Vickie, com os olhos sobressaltados, despindo-se no refeitório, na frente de todos. — Eu a obriguei a fazer tolices — Katherine riu. — Era divertido brincar com ela.

Os braços de Elena estavam dormentes e doíam. Ela percebeu que puxava as cordas por reflexo, tão ofendida pelas palavras de Katherine que não conseguia ficar parada. Elena se obrigou a parar, tentando se recostar e recuperar parte da sensibilidade nas mãos entorpecidas. Não sabia o que ia fazer se ela se libertasse agora, mas precisava tentar.

— Próxima *adivinhação* — dizia Katherine num tom ameaçador.

— Por que diz que é a sua igreja? — perguntou Damon. Sua voz ainda trazia certa diversão, como se nada disso o afetasse. — E Honoria Fell?

— Ah, aquela assombração velha! — disse Katherine com malícia. Ela olhou atrás de Elena, fazendo beicinho, os olhos fixos. Elena percebeu pela primeira vez que estavam de frente para a entrada da cripta, com a tumba saqueada atrás. Talvez Honoria os ajudasse...

Mas depois se lembrou daquela voz baixa e enfraquecida. *Esta é a única ajuda que posso lhe dar.* E entendeu que não viria auxílio nenhum.

Como se lesse os pensamentos de Elena, Katherine dizia:

— Ela não pode fazer *nada*. É só um monte de ossos velhos. — As mãos graciosas fizeram gestos como se Katherine estivesse quebrando aqueles ossos. — Só o que pode fazer é falar, e por muitas vezes eu a impedi de ouvi-la. — A expressão de

Katherine era mais uma vez sombria e Elena sentiu uma pontada acre de medo.

— Você matou o cachorro de Bonnie, Yangtze — disse ela. Era um chute ao acaso, dado para distrair Katherine, mas funcionou.

— Sim! Isso foi divertido. Vocês todos saíram correndo da casa e começaram a gemer e chorar... — Katherine evocou a cena numa pantomima: o cachorrinho deitado diante da casa de Bonnie, as meninas correndo e encontrando o corpo estatelado no chão. — O gosto dele era ruim, mas valeu a pena. E segui Damon para lá quando ele era um corvo. Costumava segui-lo muito. Se quisesse, teria agarrado aquele corvo e... — Ela fez um gesto brusco de quem torce alguma coisa.

O sonho de Bonnie, pensou Elena, tomada por uma revelação gélida. Só percebeu que falava em voz alta quando viu Stefan e Katherine olhando para ela.

— Bonnie sonhou com você — sussurrou ela. — Mas pensou que era eu. Ela me disse que me viu parada debaixo de uma árvore, com o vento soprando. E teve medo de mim. Disse que eu estava diferente, pálida, mas quase brilhava. E um corvo voou e eu o peguei, torcendo seu pescoço. — A bile subia pela garganta de Elena e ela a engoliu. — Mas era você — disse ela.

Katherine ficou deliciada, como se Elena de algum modo provasse seu argumento.

— As pessoas sonham muito comigo — disse ela, presunçosa. — Sua tia... Ela sonhou comigo. Eu disse que era culpa dela você ter morrido. Ela achou que era você que falava.

— Ah, meu Deus...

208 ✦ *Diários do Vampiro – A Fúria*

— Queria que você *tivesse mesmo* morrido — continuou Katherine, assumindo uma expressão rancorosa. — *Devia* ter morrido. Segurei você no rio por tempo suficiente. Mas você era tão vagabunda, tirando sangue dos dois, que acabou voltando. Ah, que seja. — Ela deu um sorriso furtivo. — Agora posso brincar com você por mais tempo. Naquele dia, perdi a cabeça porque vi que Stefan lhe dera o meu anel. O meu anel! — sua voz se elevou. — O meu, que deixei para eles se lembrarem de mim. E ele deu a *você*. Foi quando percebi que não ia só brincar com ele. Eu tinha de matá-lo.

Os olhos de Stefan estavam fixos e confusos.

— Mas pensei que você estivesse morta — disse ele. — Você *estava* morta, há quinhentos anos. Katherine...

— Ah, aquela foi a primeira vez que enganei vocês — disse Katherine, mas agora não havia alegria em sua voz. Era taciturna. — Combinei tudo com Gudren, minha criada. Os dois não aceitariam minha decisão — ela contou, olhando com raiva de Stefan para Damon. — Eu queria que nós todos fôssemos felizes; eu os amava. Amava os dois. Mas não bastava para vocês.

O rosto de Katherine mudou de novo e Elena viu nele a criança magoada de cinco séculos atrás. Katherine deve ter sido assim na *época*, pensou Elena, admirada. Seus grandes olhos azuis se encheram de lágrimas.

— Eu queria que vocês se amassem — prosseguiu Katherine, parecendo desnorteada —, mas não era assim. E me senti péssima. Achei que se pensassem que eu estava morta, vocês se *amariam*. E eu sabia que tinha de ir embora, de qualquer modo, antes que papai começasse a desconfiar do que eu era. Então Gudren e eu arrumamos tudo — disse ela brandamente, perdida nas lembranças — Mandei fazer outro talismã contra o sol e lhe dei meu anel. E ela pegou meu vestido branco... meu melhor vestido branco... e cinzas da lareira. Queimamos gordura para que as cinzas tivessem o cheiro certo. E ela colocou tudo no sol, onde vocês o encontraram, junto com meu bilhete. Eu não tinha certeza se vocês seriam ludibriados, mas foram.

"E então — o rosto de Katherine se retorceu de pesar — vocês fizeram *tudo* errado. Deviam se lamentar, chorar, se reconfortar. Eu fiz isso por *vocês*. Mas em vez disso vocês correram e pegaram em espadas. Por que fizeram isso? — Era um apelo do coração. — Por que não *aceitaram* meu presente? Vocês o trataram como lixo. Eu disse no bilhete que queria que se reconciliassem. Mas vocês não ouviram e pegaram em espadas. Mataram-se. *Por que* fizeram isso?

Lágrimas vertiam pelo rosto de Katherine e a face de Stefan também estava molhada.

— Fomos estúpidos — disse ele, deixando-se levar pelas recordações do passado, como Katherine. — Culpamos um ao outro por sua morte e fomos tão estúpidos... Katherine, escute. Foi minha culpa; fui eu que ataquei primeiro. E eu lamentei tanto... Não sabe como lamentei desde então. Não sabe quantas vezes pensei nisso e quis que houvesse alguma coisa que pudesse fazer para mudar tudo. Eu daria qualquer coisa em troca... *Qualquer coisa*. Matei meu irmão... — A voz dele falhou e lágrimas caíram de seus olhos.

210 ◆ *Diários do Vampiro – A Fúria*

Elena, com o coração partido de tristeza, virou-se desamparada para Damon e viu que ele nem estava ciente da presença dela. O olhar de diversão se fora e seus olhos estavam fixos e absortos em Stefan.

— Katherine, por favor, escute-me — continuou Stefan trêmulo, recuperando a voz. — Todos nós já nos magoamos o bastante. Por favor, deixe-nos ir agora. Fique comigo, se quiser, mas deixe-os partir. É a mim que deve culpar. Fique comigo e farei o que você quiser...

Os olhos de joia de Katherine estavam fluidos e incrivelmente azuis, cheios de uma tristeza infinita. Elena não se atreveu a respirar, temerosa de romper o encanto enquanto a mulher magra se aproximava de Stefan, o rosto brando e cheio de desejo.

Mas depois o gelo do íntimo de Katherine voltou à superfície, paralisando as lágrimas em seu rosto.

— Devia ter pensado nisso há muito tempo — disse ela. — Eu podia lhe dar ouvidos na época. No início lamentei que vocês tivessem se matado. Eu fugi, mesmo sem Gudren, de volta a minha terra natal. Mas depois não tinha *nada*, nem mesmo um vestido novo, e estava faminta e com frio. Podia ter morrido de fome se Klaus não tivesse me encontrado.

Klaus. Em seu desalento, Elena se lembrou de uma coisa que Stefan lhe contara. Klaus foi o homem que transformou Katherine em vampira, o homem que os aldeões diziam ser maligno.

— *Klaus* me ensinou a verdade — disse Katherine. — Mostrou-me como o mundo realmente é. Você precisa ser forte e pegar as coisas que quiser. Deve pensar apenas em si mesmo. E eu agora sou a mais forte de todos. Eu sou. Sabe como cheguei a esse ponto? — Ela respondeu à pergunta sem esperar que eles reagissem. — Vidas. Muitas vidas. Humanas e vampiras, e agora estão todas dentro de *mim*. Matei Klaus depois de um ou dois séculos. Ele ficou *surpreso*. Não sabia o quanto eu havia aprendido. Eu estava tão feliz, tomando vidas, enchendo-me delas. Mas depois me lembrei de *vocês*, dos dois, e do que fizeram. Como trataram meu presente. E entendi que precisava puni-los. Finalmente pensei em como fazer isso. Trouxe vocês aqui, os dois. Coloquei o pensamento em sua mente, Stefan, como você coloca pensamentos nas mentes dos humanos. Eu guiei você a este lugar. Depois me certifiquei de que Damon o seguisse. Elena estava aqui. Acho que ela deve ter alguma ligação comigo; é parecida comigo. Eu sabia que você a veria e se sentiria culpado. Mas você não devia se apaixonar por ela! — O ressentimento na voz de Katherine deu lugar à fúria. — Não devia ter se esquecido de mim! Não devia ter dado meu anel a ela!

— Katherine...

Katherine prosseguiu.

— Ah, você me deu tanta raiva. E agora vou fazer com que se arrependa disso, e se arrependa de verdade. Sei bem quem mais odeio agora, e é você, Stefan. Porque eu o amava mais. — Ela pareceu recuperar o controle, enxugando os últimos traços de lágrimas do rosto e erguendo-se com uma dignidade exagerada. — Eu não odeio tanto Damon — disse ela. — Até podia deixá-lo viver. — Seus olhos se estreitaram, depois se

212 ✦ *Diários do Vampiro – A Fúria*

arregalaram com uma ideia. — Escute, Damon — disse ela secretamente. — Você não é tão idiota quanto Stefan. Sabe como as coisas realmente são. Eu o ouvi dizer isso. Vi as coisas que você fez. — Ela se inclinou para frente. — Ando solitária desde a morte de Klaus. Você podia me fazer companhia. Só o que precisa fazer é dizer que me ama mais. Depois eu os matarei e vamos embora. Você pode até matar a menina, se quiser. Eu deixo. O que acha?

Ah, meu Deus, pensou Elena, nauseada de novo. Os olhos de Damon fixavam-se nos olhos azuis de Katherine; pareciam examinar seu rosto. E a diversão caprichosa tinha voltado a sua expressão. Ah, meu Deus, não, pensou Elena. Por favor, não...

Lentamente, Damon sorriu.

15

lena observava Damon com um pavor mudo. Conhecia muito bem aquele sorriso perturbador. Mas mesmo enquanto sentia o coração afundar, sua mente lhe fazia uma pergunta debochada. Que diferença fazia? Ela e Stefan iam morrer de qualquer maneira. Só fazia sentido para Damon se salvar. E era um erro esperar que ele contrariasse sua natureza.

Ela olhou seu sorriso lindo e caprichoso, com pena pelo que Damon poderia ter sido.

Katherine sorria para ele, encantada.

— Vamos ser tão felizes juntos. Depois que eles estiverem mortos, eu vou soltar você. Não pretendia machucá-lo, não mesmo. Só fiquei com raiva. — Ela estendeu a mão magra e afagou seu rosto. — Desculpe.

— Katherine — disse ele. Damon ainda sorria.

214 ✦ *Diários do Vampiro – A Fúria*

— Sim. — Ela se inclinou para mais perto.

— Katherine...

—Sim, Damon?

— Vá para o inferno.

Elena se encolheu com o que aconteceu em seguida, antes de ter acontecido, sentindo a onda violenta do Poder, de um Poder malévolo e desenfreado. Ela gritou ao ver a alteração em Katherine. Aquele lindo rosto se retorcia, modificava-se, assumindo algo que não parecia humano nem animal. Uma luz vermelha brilhava nos olhos de Katherine enquanto ela caía sobre Damon, as presas afundando em seu pescoço.

Garras surgiram da ponta de seus dedos e com elas Katherine revirou o peito já sangrento de Damon, dilacerando a pele enquanto o sangue corria. Elena continuou gritando, percebendo vagamente que a dor em seus braços era da luta com as cordas que a amarravam. Ouviu Stefan gritar também, mas acima de tudo ouviu o guincho ensurdecedor da voz mental de Katherine.

Agora vai se lamentar por isso! Agora farei com que se arrependa! Vou matá-lo! Eu vou matá-lo! Eu vou matá-lo! Eu vou matá-lo!

As palavras por si só já machucavam, como adagas esfaqueando a mente de Elena. Seu mero Poder a deixou estupefata, empurrando-a contra as estacas de ferro. Mas não havia maneira de se livrar daquilo. Parecia ecoar em tudo ao redor, martelando em seu crânio.

Matar! Matar! Vou matar você!

Elena desmaiou.

* * *

Meredith, agachada ao lado de tia Judith na lavanderia, mudou o peso do corpo, retesando-se para interpretar os sons do lado de fora da porta. Os cães tinham entrado no porão; ela não sabia como, mas, a julgar pelos focinhos ensanguentados de alguns, Meredith deduziu que tinham quebrado as janelas no nível do chão. Agora estavam do lado de fora da lavanderia, mas Meredith não sabia o que faziam. O silêncio era muito grande ali.

Margaret, encolhida no colo de Robert, gemeu uma vez.

— Quietinha — sussurrou Robert rapidamente. — Está tudo bem, meu amor. Tudo vai ficar bem.

Meredith encontrou os olhos assustados e determinados dele por sobre a cabeça caída de Margaret. Quase o tomamos pelo Outro Poder, pensou ela. Mas agora não havia tempo para arrependimentos.

— Cadê a Elena? Elena disse que ia cuidar de mim — disse Margaret, os olhos grandes e solenes. — Ela disse que ia cuidar de mim. — A tia Judith pôs a mão em sua boca.

— Ela está cuidando de você — sussurrou Meredith. — Só me mandou fazer isso, é só. Esta é a *verdade* — acrescentou ela sugestivamente e viu o olhar de reprovação de Robert se fundir em perplexidade.

Do lado de fora, o silêncio dera lugar a arranhões e mordidas. Os cães trabalhavam na porta.

Robert aninhou a cabeça de Margaret mais perto de seu peito.

216 ✦ *Diários do Vampiro – A Fúria*

* * *

Bonnie não sabia há quanto tempo estavam trabalhando. Certamente horas. Uma eternidade, ao que parecia. Os cães tinham conseguido entrar na cozinha e passar pelas velhas portas laterais de madeira. Até agora, porém, só cerca de uma dúzia deles passara pela barricada de fogo diante das portas. E os homens armados cuidaram da maioria deles.

Mas o sr. Smallwood e seus amigos agora empunhavam rifles descarregados. E, às pressas, procuravam coisas para queimar.

Vickie tinha ficado descontrolada há algum tempo, gritando e segurando a cabeça como se alguma coisa a ferisse. Eles procuravam por maneiras de reprimi-la quando ela finalmente desmaiou.

Bonnie foi até Matt, que olhava por sobre o fogo, através da porta lateral demolida. Não procurava pelos cães, ela sabia disso, mas por algo muito mais distante. Algo que não era possível ver dali.

— Precisa ir, Matt — disse ela. — Não há nada mais que possa fazer. — Ele não respondeu, nem se virou. — Está quase amanhecendo — disse ela. — Talvez, quando o sol nascer, os cães saiam. — Mas mesmo ao dizer isso, ela sabia que não era verdade.

Matt não respondeu. Ela tocou o ombro dele.

— Stefan está com ela. Stefan está lá.

Por fim, Matt deu alguma resposta. Ele assentiu.

— Stefan está lá.

Castanha e rosnando, outra forma arremeteu das sombras.

* * *

Era muito mais tarde quando Elena as poucos recuperou a consciência. Ela sabia disso porque conseguia enxergar, não só pelo punhado de velas que Katherine tinha acendido, mas também pelo cinza frio e quase claro que se infiltrava pela abertura da cripta.

Também podia ver Damon. Ele estava prostrado no chão, as amarras cortadas, assim como suas roupas. Agora havia luz suficiente para ver toda a extensão de seus ferimentos e Elena se perguntou se ele ainda estaria vivo. Estava imóvel o bastante para parecer morto.

Damon?, pensou ela. Foi só depois de fazer isso que Elena percebeu que a palavra não fora pronunciada. De algum modo, os gritos de Katherine fecharam um circuito em sua mente, ou talvez tenham despertado algo adormecido. E o sangue de Matt sem dúvida ajudou, dando a ela força para finalmente encontrar sua voz mental.

Ela virou a cabeça para o outro lado. *Stefan?*

O rosto de Stefan estava desfigurado de dor, mas consciente. Consciente demais. Elena quase desejou que ele estivesse tão insensível quanto Damon para o que acontecia com eles.

Elena, respondeu ele.

Onde ela está?, disse Elena, os olhos movendo-se lentamente pelo ambiente.

Stefan olhou pela abertura da cripta. *Foi lá para cima, há algum tempo. Talvez para ver como os cães estão se saindo.*

Elena pensou ter chegado ao limite do medo e do pavor, mas não era verdade. Até então, não tinha se lembrado dos outros.

218 ✦ *Diários do Vampiro – A Fúria*

Elena, me desculpe. O rosto de Stefan estava cheio do que nenhuma palavra podia expressar.

Não foi sua culpa, Stefan. Você não fez isso com ela. Ela fez a si mesma. Ou... simplesmente aconteceu, devido ao que ela é. Ao que nós somos. Por baixo do raciocínio de Elena, passava a lembrança de como havia atacado Stefan no bosque e como se sentiu quando estava correndo para o sr. Smallwood, pretendendo se vingar. *Poderia ter sido eu*, disse ela.

Não! Você nunca ficaria assim.

Elena não respondeu. Se tivesse o Poder agora, o que faria com Katherine? O que *não teria feito* com ela? Mas Elena sabia que falar nesse assunto só aborreceria Stefan.

Pensei que Damon fosse nos trair, disse ela.

Eu também, disse Stefan, com estranheza. Olhava o irmão com uma expressão esquisita.

Ainda o odeia?

O olhar de Stefan escureceu. *Não*, disse ele, baixo. *Não, não o odeio mais.*

Elena assentiu. De algum modo, isso era importante. Depois ela se sobressaltou, os nervos hiperalertas, como se algo fizesse sombra na entrada da cripta. Stefan também ficou tenso.

Ela está vindo, Elena...

Eu te amo, Stefan, disse Elena desesperançada, e a forma nevoenta e branca se arremessou para baixo.

Katherine tomou forma na frente deles.

— Não sei o que está acontecendo — disse ela, visivelmente irritada. — Você está bloqueando meu túnel. — Ela olhou por trás de Elena novamente, para a tumba quebrada e o buraco na parede. — É o que uso para circular por aí — continuou ela, aparentemente sem ter consciência do corpo de Damon a seus pés. — Passa por baixo do rio. Então não preciso atravessar água corrente. Como vê, em vez disso, eu o atravesso *por baixo*. — Ela olhou para eles como se esperasse aprovação à piada.

É claro, pensou Elena. Como pude ser tão idiota? Damon estava conosco no carro de Alaric quando passamos pelo rio. Ele atravessou a água corrente e deve ter feito isso muitas outras vezes. Ele não podia ser o Outro Poder.

Era estranho que conseguisse pensar, embora estivesse tão apavorada. Era como se parte de sua mente ficasse vigilante, à distância.

— Agora vou matar vocês — disse Katherine num tom informal. — Depois vou por baixo do rio para matar seus amigos. Não acho que os cães tenham conseguido. Mas vou cuidar desse assunto eu mesma.

— Deixe Elena ir — disse Stefan. Sua voz se extinguia, mas ao mesmo tempo era convincente.

— Anda não decidi como vou fazer isso — disse Katherine, ignorando-o. — Eu podia assar você. Quase há luz suficiente para isso. E eu peguei isto. — Ela pôs a mão na frente do vestido e estendeu a mão fechada. — Um... Dois... Três! — disse ela, largando no chão dois anéis de prata e um de ouro. As pedras brilhavam azuis como os olhos de Katherine, azuis como a pedra no colar em seu pescoço.

As mãos de Elena giraram freneticamente e ela sentiu o vazio suave no dedo do anel. Era verdade. Não teria acreditado

220 ✦ *Diários do Vampiro – A Fúria*

em como se sentia nua sem aquele aro de metal. Era necessário para sua vida, para sua sobrevivência. Sem ele...

— Sem eles vocês morrerão — disse Katherine, mexendo de leve nos anéis com a ponta do pé. — Mas não sei se é *lento* o bastante. — Ela andou quase até a parede oposta da cripta, o vestido prateado brilhando na luz fraca.

Foi quando Elena teve uma ideia.

Ela podia mexer as mãos. O suficiente para que uma sentisse a outra, o bastante para saber que não estavam mais dormentes. As cordas estavam mais frouxas.

Mas Katherine era forte. Incrivelmente forte. E mais rápida do que Elena. Mesmo que Elena se libertasse, teria tempo apenas para uma investida rápida.

Ela girou um pulso, sentindo as cordas cederem.

— Há outras maneiras — disse Katherine. — Eu podia cortá-los e vê-los sangrar. Gosto de assistir.

Trincando os dentes, Elena fez pressão contra a corda. Sua mão estava curvada num ângulo aflitivo, mas ela continuou a pressionar. Sentiu a corda queimar ao deslizar de lado.

— Ou ratos — dizia Katherine, pensativa. — Ratos podem ser divertidos. Posso dizer a eles quando começar e quando parar.

O trabalho com a outra mão livre foi muito mais fácil. Elena tentou não dar sinal do que fazia pelas costas. Teria gostado de chamar Stefan com sua mente, mas não se atrevia. Não se houvesse alguma possibilidade de Katherine ouvir.

O andar de Katherine a levava diretamente a Stefan.

— Acho que vou começar por você — disse ela, colocando o rosto perto do dele. — Estou com fome de novo. E você é tão doce, Stefan. Tinha me esquecido de como você era doce.

Havia um retângulo de luz cinzenta no chão. A luz do amanhecer. Vinha pela abertura da cripta. Katherine já estava fora dessa luz. Mas...

Katherine sorriu de repente, os olhos azuis cintilando.

— Já sei! Vou beber você quase completamente e obrigá-lo a olhar enquanto mato *Elena*! Vou deixar você com forças suficientes para assisti-la morrer. Não lhe parece um bom plano? — Alegre, ela bateu palmas e deu outra pirueta, afastando-se em sua dança.

Só mais um passo, pensou Elena. Ela viu Katherine se aproximar do retângulo de luz. Só mais um passo...

Katherine deu o passo.

— Então é isso! — Ela começou a se virar. — Que bom que...

Agora!

Puxando as mãos doloridas dos últimos laços de corda, Elena disparou na direção de Katherine. Era como a arrancada de um felino em caça. Uma corrida desesperada para chegar à presa. Uma só chance. Uma única esperança.

Ela atingiu Katherine com todo seu peso. O impacto fez com que as duas caíssem no retângulo de luz. Elena sentiu a cabeça de Katherine estalar no piso de pedra.

E sentiu a dor em brasa, como se seu corpo tivesse sido mergulhado em veneno. Era uma sensação parecida com a se-

222 ✦ *Diários do Vampiro – A Fúria*

cura abrasadora da fome, só que mais forte. Mil vezes mais forte. Era insuportável.

— *Elena!* — gritou Stefan, com a mente e com a voz.

Stefan, pensou ela. Por baixo, seu Poder surgia, enquanto os olhos atordoados de Katherine recuperavam o foco. Sua boca se retorceu de fúria, as presas se projetando. Eram tão longas que cortaram o lábio inferior. Aquela boca distorcida se abriu num uivo.

A mão desajeitada de Elena tateou o pescoço de Katherine. Seus dedos se fecharam no metal frio do colar azul. Com toda a força, ela o puxou e sentiu a corrente ceder. Tentou segurá-la, mas seus dedos pareciam espessos e descoordenados e a mão em garra de Katherine arranhava sem parar. O colar girou, afastando-se nas sombras.

— *Elena!* — gritou Stefan novamente naquela voz apavorada.

Parecia a Elena que seu corpo estava cheio de luz. Como se fosse transparente. Só que a luz era dor. Abaixo dela, o rosto disforme de Katherine olhava o céu de inverno. Em vez de um uivo, havia um guincho que não parava de crescer.

Elena tentou se levantar, mas não tinha forças. O rosto de Katherine arrebentava, rachava. Riscos de fogo se abriam nele. O grito atingia um crescendo. O cabelo de Katherine estava em chamas, a pele escurecia. Elena sentiu o fogo por cima e por baixo.

Depois sentiu alguma coisa agarrá-la, pegar seus ombros e tirá-la dali. A frieza das sombras era como água gelada. Algo a estava virando, aninhando-a.

Ela viu os braços de Stefan, vermelhos onde tinham sido expostos ao sol e sangrando onde se rasgaram, soltando-se das cordas. Ela viu seu rosto, viu o horror ferido e a tristeza. Depois seus olhos se toldaram e ela não viu mais nada.

Meredith e Robert, golpeando os focinhos ensopados de sangue que se enfiavam pelo buraco na porta, estacaram, confusos. Os dentes tinham parado de morder e rasgar. Um focinho se sacudiu e deslizou para fora. Andando de lado, Meredith viu que os olhos do cão estavam fixos e leitosos. Não se mexiam. Ela olhou para Robert, que estava de pé, ofegando.

Não vinha mais ruído nenhum do porão. Tudo ficou em silêncio.

Mas eles não se atreveram a ter esperanças.

Os gritos estridentes de Vickie cessaram como se tivessem sido cortados com uma faca. O cachorro que afundara seus dentes na coxa de Matt enrijeceu e teve um tremor convulsivo; depois, suas mandíbulas o soltaram. Arfando para respirar, Bonnie girou para olhar além do fogo moribundo. Havia luz suficiente para ver que corpos de outros cães jaziam onde caíram, do lado de fora.

Ela e Matt se encostaram um no outro, olhando em volta, estarrecidos.

Finalmente tinha parado de nevar.

Lentamente, Elena abriu os olhos.

Tudo estava muito claro e calmo.

Ela estava feliz pela gritaria ter terminado. Foi horrível; doeu. Agora nada doía. Parecia que seu corpo estava cheio de

224 ✦ *Diários do Vampiro – A Fúria*

luz novamente, mas desta vez não era dor. Era como se ela estivesse flutuando, muito alto e facilmente, em lufadas de ar. Quase sentia que não tinha corpo nenhum.

Elena sorriu.

Virar a cabeça não doía, embora aumentasse a sensação de flutuação. Ela viu, na elipse de luz clara no chão, os restos em combustão de um vestido prateado. A mentira de quinhentos anos de Katherine se tornara realidade.

Então era isso. Elena virou o rosto. Agora não desejava machucar mais ninguém e não queria perder tempo com Katherine. Havia coisas muito mais importantes.

— Stefan — disse ela e suspirou, sorrindo. Ah, isso era bom. Deve ser como se sente um pássaro. — Eu não pretendia que as coisas terminassem assim — disse ela, um tanto sentida. Os olhos verdes de Stefan estavam molhados. Encheram-se novamente, mas ele retribuiu o sorriso.

— Eu sei — disse ele. — Eu sei, Elena.

Ele compreendia. Isso era bom; era importante. Era fácil ver as coisas que agora eram realmente importantes. E a compreensão de Stefan significava mais para ela do que o mundo todo.

Parecia que se passara muito tempo desde que ela realmente olhava para ele. Desde que teve tempo para apreciar como ele era lindo, com seu cabelo preto e os olhos verdes como folhas de carvalho. Mas agora ela via, e via sua alma brilhando através daqueles olhos. Isso valia tudo, pensou Elena. Eu não queria morrer; não quero morrer agora. Mas, se fosse preciso, faria tudo de novo.

— Eu te amo — sussurrou ela.

— Eu te amo — disse ele, apertando suas mãos.

A leveza estranha e langorosa a aninhou suavemente. Elena mal sentia Stefan abraçado a ela.

Ela teria pensado que estava apavorada. Mas não estava, não enquanto Stefan estivesse ali.

— As pessoas no baile... Agora vão ficar bem, não vão? — disse ela.

— Agora elas vão ficar bem — sussurrou Stefan. — Você as salvou.

— Não me despedi de Bonnie e Meredith. Nem da tia Judith. Precisa dizer a elas que eu as amo.

— Eu direi — disse Stefan.

— Pode dizer você mesma — arfou outra voz, rouca, parecendo desacostumada de falar. Damon tinha se arrastado pelo chão atrás de Stefan. Seu rosto estava arruinado, raiado de sangue, mas os olhos escuros ardiam para ela. — Use sua vontade, Elena. Segure-se nela. Você tem as forças...

Ela sorriu para ele, hesitante. Elena sabia a verdade. O que acontecia agora só concluía o que começara semanas antes. Ela teve treze dias para consertar as coisas, corrigir-se com Matt e se despedir de Margaret. Dizer a Stefan que o amava. Mas agora a moratória expirava.

Ainda assim, não tinha sentido magoar Damon. Ela o amava também.

— Vou tentar — prometeu ela.

— Vamos levar você para casa — disse ele.

226 ✦ *Diários do Vampiro – A Fúria*

— Ainda não — disse-lhe ela com gentileza. — Vamos esperar só um pouquinho.

Algo aconteceu nos olhos escuros e insondáveis e a centelha se esvaiu. E então ela percebeu que Damon também sabia.

— Não estou com medo — disse ela. — Bom... só um pouco. — Começava uma sonolência e ela se sentia muito à vontade, mas era como se estivesse adormecendo. As coisas escapavam dela.

Uma dor surgiu em seu peito. Elena não teve muito medo, mas lamentava. Havia tantas coisas de que sentiria falta, tantas coisas que queria ter feito.

— Ai — disse ela brandamente. — Que estranho.

As paredes da cripta pareciam ter derretido. Eram cinzentas e nebulosas, e havia algo parecido com uma porta ali, como a porta que servia de abertura para a sala no subsolo. Só que essa porta dava numa luz diferente.

— Que lindo — murmurou ela. — Stefan? Estou tão cansada.

— Pode descansar agora — sussurrou ele.

— Não vai me soltar?

— Não.

— Então não vou ter medo.

Algo brilhava no rosto de Damon. Ela estendeu a mão, tocou-o e afastou os dedos, admirada.

— Não fique triste — ela disse a ele, sentindo a umidade fria na ponta dos dedos. Mas uma onda de preocupação a perturbou. Quem entenderia Damon agora? Quem estaria presente para pressioná-lo, para tentar ver o que havia realmente dentro dele? — Vocês precisam cuidar um do outro — disse ela, percebendo isso. Uma pequena força a tomou novamente, como uma vela queimando ao vento. — Stefan, você promete? Promete que vão cuidar um do outro?

— Prometo — disse ele. — Ah, Elena...

Ondas de sonolência a dominavam.

— Que bom — disse ela. — Isso é bom, Stefan.

A porta estava mais próxima, tão perto que agora Elena podia tocá-la. Ela se perguntou se seus pais estariam em algum lugar lá atrás.

— Hora de ir para casa — sussurrou ela.

E depois a escuridão e as sombras desapareceram e só o que havia era luz.

Stefan a abraçou enquanto Elena fechava os olhos. Depois só a abraçou, as lágrimas que reprimira caindo sem restrições. Era uma dor diferente de quando a tirou do rio. Desta vez não havia raiva, e nenhum ódio, mas um amor que parecia continuar para sempre.

Doía ainda mais.

Ele olhou o retângulo de luz do sol, só a um ou dois passos dele. Elena tinha entrado na luz. Ela o deixou ali sozinho.

Mas não por muito tempo, pensou ele.

O anel dele estava no chão. Ele nem o olhou ao se levantar, os olhos fixos nos raios de sol embaixo.

Uma mão tomou seu braço e o puxou para trás.

228 ✦ *Diários do Vampiro – A Fúria*

Stefan encarou o irmão.

Os olhos de Damon eram escuros como a meia-noite e ele segurava o anel de Stefan. Enquanto Stefan observava, incapaz de se mover, ele forçou o anel no dedo de Stefan e o soltou.

— Agora — disse ele, arriando o corpo com dificuldade — pode ir aonde quiser. — Ele pegou no chão o anel que Stefan dera a Elena e o estendeu. — Isto também é seu. Pegue. Pegue e vá. — Ele virou o rosto.

Por um longo tempo, Stefan olhou o aro dourado em sua mão.

Depois seus dedos se fecharam e ele olhou para Damon. Os olhos do irmão estavam fechados, e respirava com dificuldade. Ele parecia exaurido e com muita dor.

E Stefan tinha feito uma promessa a Elena.

— Vamos — disse ele em voz baixa, colocando o anel no bolso. — Vamos para um lugar onde você possa descansar.

Stefan pôs o braço em volta do irmão para ajudá-lo a se levantar Depois, por um instante, o abraçou.

16

16 de dezembro, segunda-feira

Stefan me deu isto. Ele deu a maior parte das coisas de seu quarto. No início eu disse que não queria, porque não sabia o que fazer com isso. Mas agora acho que tenho uma ideia.

As pessoas já estão começando a esquecer. Elas entenderam errado os detalhes e acrescentaram coisas que imaginaram. E, acima de tudo, inventam explicações. Por que não era de fato sobrenatural, por que há um motivo racional para isso ou aquilo. É pura tolice, mas não há como impedi-las, em especial os adultos.

230 ◆ *Diários do Vampiro – A Fúria*

Eles são os piores. Dizem que os cães tinham hidrofobia ou coisa assim. O veterinário apareceu com um nome novo para isso, uma espécie de raiva que é disseminada por morcegos. Meredith disse que isso é uma ironia. Acho que é só estupidez.

É um pouco melhor com os mais novos, em especial os que estavam no baile. Acho que podemos confiar em alguns, como Sue Carson e Vickie. Vickie mudou tanto nos últimos dois dias que até parece um milagre. Ela não está como nos últimos dois meses e meio, mas também não está como era antigamente. Antigamente ela era uma dondoca, andava com um pessoal estranho. Mas agora acho que está bem.

Nem Caroline está tão má ultimamente. Ela não falou no outro funeral, mas neste falou. Disse que Elena era a verdadeira rainha da neve, o que era uma espécie de plágio do discurso que Sue fez antes, mas deve ter sido o melhor que Caroline podia fazer. Foi um gesto legal.

Elena estava tão tranquila. Não parecia uma boneca de cera, era como se estivesse dormindo. Sei que todo mundo diz isso, mas é verdade. Desta vez, é mesmo verdade.

Mas depois as pessoas ficaram falando de "sua escapada extraordinária do afogamento" e coisas assim. E dizendo que ela morreu de embolia ou coisa parecida. O que é completamente ridículo. Mas isso me deu uma ideia.

Vou pegar o outro diário de Elena no armário dela. Depois vou pedir à sra. Grimesby para colocá-los na biblioteca, não numa caixa, como o de Honoria Fell, mas onde as pessoas possam pegá-lo e ler. Porque a verdade está ali. É onde está a verdadeira história. Não quero que ninguém se esqueça dela.

Acho que as crianças se lembrarão.

Acho que eu devia contar o que aconteceu ao resto das pessoas daqui; Elena ia querer isso. A tia Judith está bem, embora, dos adultos, seja quem menos consegue lidar com a verdade. Ela precisa de uma explicação racional. Ela e Robert vão se casar no Natal. Isso deve ser bom para Margaret.

Margaret teve o raciocínio certo. Me disse no funeral que um dia ia ver Elena e os pais, mas não agora, porque havia muitas coisas que ainda tinha de fazer aqui. Não sei de onde tira essas ideias. Ela é inteligente para uma menina de 4 anos.

Alaric e Meredith também estão bem, é claro. Quando se viram naquela manhã horrível, depois de tudo se aquietar e nos reunirmos, eles praticamente caíram nos braços um do outro. Acho que tem alguma coisa rolando ali. Meredith disse que vai discutir isso quando tiver 18 anos e se formar.

É típico, totalmente típico. Todo mundo se arranja. Estou pensando em tentar um dos rituais de minha avó, só para ver se um dia vou mesmo me casar.

Nem há ninguém com quem eu queira me casar aqui.

Bom, tem o Matt. O Matt é legal. Mas agora ele só tem uma garota em mente. Não sei se isso um dia vai mudar.

Hoje, no funeral, ele deu um murro no nariz de Tyler, porque Tyler disse uma coisa de mau gosto sobre Elena. Tyler é uma pessoa que tenho certeza de que jamais mudará, independente de qualquer coisa. Ele sempre será o babaca cruel e nojento que é.

Mas Matt... Bom, os olhos de Matt são incrivelmente azuis. E ele tem um gancho de direita que é demais.

Stefan não pôde bater em Tyler porque não estava aqui. Ainda há muita gente na cidade que acha que ele matou Elena. Ele deve ter matado, dizem, porque não havia mais ninguém lá. As cinzas de Katherine estavam espalhadas por todo o lugar quando o resgate chegou à cripta. Stefan disse que ela pegou fogo daquele jeito porque era muito velha. Disse que devia ter percebido isso na primeira vez, quando Katherine fingiu queimar, que uma vampira jovem não se transformaria em cinzas daquele jeito; ela só morreria, como Elena. Só os mais velhos viram farelo.

Algumas pessoas — especialmente o sr. Smallwood e os amigos dele — provavelmente culpariam Damon, se pudessem colocar as mãos nele. Mas não podem. Ele não estava lá quando chegaram à tumba, porque Stefan o ajudou a sair. Stefan não disse para onde ele foi, mas acho que algum lugar no bosque. Os vampiros devem se curar rápido, porque hoje, quando eu o encontrei depois do funeral, Stefan disse que Damon tinha saído de Fell's Church. Ele não estava satisfeito com isso; acho que Damon não contou a ele. Agora a pergunta parece ser a seguinte: o que Damon está fazendo? Mordendo meninas inocentes? Ou ele se corrigiu? Eu não apostaria em nenhuma das duas coisas. Damon era um cara estranho.

Mas lindo. Sem dúvida nenhuma, lindo.

Stefan também não disse para onde vai. Mas tenho uma desconfiança estranha de que Damon pode ter uma surpresa se olhar para trás. Ao que parece, Elena fez Stefan prometer que cuidaria dele ou coisa assim. E Stefan leva as promessas muito, mas muito a sério.

Desejei a ele sorte. Mas ele vai fazer o que Elena queria, o que acho que o fará feliz. Feliz na medida do possível, sem ela. Ele agora usa o anel dela numa corrente no pescoço.

Se você acha que alguma coisa daqui parece fútil ou que eu não me importo com Elena, isso só mostra como você está enganado. ~~Desafio qualquer um a me dizer isso.~~ Meredith e eu choramos o sábado todo e na maior parte do domingo. E eu estava com tanta raiva

234 ◆ *Diários do Vampiro – A Fúria*

que queria rasgar e quebrar coisas. Fiquei pensando, por que Elena? Por quê? Quando havia tanta gente que podia ter morrido naquela noite. De toda a cidade, tinha de ser justamente ela.

É claro que ela fez isso para salvá-los, mas por que teve de dar a vida para isso? Não é justo.

Ah, estou começando a chorar de novo. É o que acontece quando você pensa se a vida é justa. E eu não posso explicar por que não é. Eu queria bater na tumba de Honoria Fell e perguntar se ela pode explicar, mas ela não falaria comigo. Não acho que seja uma coisa que alguém saiba.

Eu amava Elena. E vou sentir uma falta terrível dela. Toda a escola vai. É como uma luz que se apagou. Robert disse que era o que o nome dela significava em latim, "luz".

Agora sempre haverá uma parte de mim onde a luz desapareceu.

Eu queria ter me despedido dela, mas Stefan disse que ela mandou dizer que me ama. Vou tentar pensar nisso como uma luz que levo comigo.

É melhor parar de escrever. Stefan está indo embora, e eu, Matt, Meredith e Alaric vamos vê-lo partir. Eu não pretendia entrar tão fundo nisso; nunca fui de ter um diário. Mas quero que as pessoas saibam a verdade sobre Elena. Ela não era nenhuma santa. Nem sempre era meiga, boa, sincera e agradável. Mas era forte e carinhosa, e adorava os amigos, e no fim fez a coisa mais altruísta que qualquer um poderia fazer. Meredith falou que isso quer dizer que ela preferiu a luz à escuridão. Quero que as pessoas saibam disso, quero que se lembrem para sempre.

Eu sempre me lembrarei.

— Bonnie McCullough

16/12/91

Este livro foi composto na tipografia Minion Pro,
em corpo 11/16,95, e impresso em papel off-white
no Sistema Cameron da Divisão Gráfica
da Distribuidora Record.